P9-CDC-246

Agustín de Iturbide

GRANDES MEXICANOS ILUSTRES

AGUSTÍN DE ITURBIDE

Francisco Caudet Yarza

DASTIN, S.L.

© DASTIN, S.L.
Polígono Industrial Europolis, calle M, 9
28230 Las Rozas - Madrid (España)
Tel: + (34) 916 375 254
Fax: + (34) 916 361 256
e-mail: info@dastin.es
www.dastin.es

Edición Especial para:
EDICIONES Y DISTRIBUCIONES
PROMO LIBRO, S.A. DE C.V.

I.S.B.N.: 84-492-0326-0
Depósito legal: M-15.909-2003
Coordinación de la colección: Raquel Gómez

Impreso en España - Printed in Spain

... las revoluciones de los pueblos presentan anomalías
cuyo origen o causas inútilmente se intentaría explicar...,
porque
¿quién podría haber pensado jamás que el oficial mexicano
que había derramado más sangre de sus conciudadanos
para sostener la dependencia y la esclavitud de su patria
fuese el destinado para ponerse a la cabeza de un gran movimiento
que destruyera el poder de los españoles para siempre?
¿Qué se hubiera pensado del que en 1811 hubiese dicho
que Iturbide ocuparía el lugar de Morelos *o que sustituiría*
a Mina? *Sin embargo, esto es lo que vieron los españoles*
y los mexicanos con asombro...

Lorenzo de Zavala.

PRESENTACIÓN

— COMENTARIOS Y SINOPSIS BIOGRÁFICA DE ITURBIDE —

LA mayoría de las actuales repúblicas latinoamericanas gozan (y es un decir casi eufemístico) de un pasado histórico convulso, turbulento, traumático y sangriento (incluso hoy, algunas de ellas —sirvan de ejemplo incuestionable Venezuela, Colombia, Argentina...— siguen desenvolviendo su actitud sociopolítica dentro de aquellos mismos parámetros), que con el paso del tiempo se ha ido convirtiendo en una especie de enfermiza constante.

Con anterioridad a la presencia de los colonizadores (etapa precolombina), no pueden obviarse las luchas intestinas que conmovieron los imperios maya, inca y azteca, y tras la llegada de aquéllos, bien recibidos en unas latitudes y no tanto (por no decir muy mal) en otras, que de colonizadores pasaron, al decir de muchos, a convertirse en usurpadores y expoliadores (cuando no *ladrones*), los contenciosos internos perdieron virulencia y notoriedad porque ahora se trataba de hacer un frente común contra el *invasor.* Se sucedieron años de guerras en pos de la independencia y, cuando buena parte de los países colonizados lograron expulsar a los advenedizos, los mismos que habían reclamado por las armas las libertades y la democracia para sus pueblos pasaron a sojuzgarlos y, consecuentemente, estallaron nuevas insurrecciones en busca de una *segunda in-*

dependencia, el camino hacia la cual pasaba por el derramamiento indiscriminado de sangre hasta que se conseguía defenestrar a los dictadores y oligarcas autóctonos que, a su vez y de alguna manera, eran relevados en sus puestos por los revolucionarios de nuevo cuño... Y así, sucesivamente.

Una curiosa e interminable cadena de idénticos eslabones, si acaso con cambios de nombres y estilos. El hambre, la miseria y la incultura del campesinado fueron un excelente caldo de cultivo para los demagogos de la época, que tenían una hipnótica habilidad dialéctica para embaucar a los pueblos, que daban crédito a toda clase de falacias (léase supuestos compromisos de los líderes para traer al país importantes mejoras sociales y económicas) y que secundaban como un solo hombre, en masa, cuantas barbaridades habidas y por haber fueran necesarias, cual sanguinario vehículo de transporte, para alcanzar la *tierra y las mejoras prometidas.* Y de ese crisol de confusionismo surgieron una pléyade de caudillos revolucionarios, de abanderados independentistas, de *salvadores de la patria* —la patria de los cuales, para bien o para mal, dejaron su nombre escrito en la historia de esos países—, que las más de las veces condujeron al enjambre de crédulos al fracaso, cuando no a la muerte, y la mayoría de ocasiones a nuevas fórmulas represivas. Sin embargo, la ceguera e ignorancia de esas engatusadas víctimas propiciatorias convirtieron en héroes y hasta en santos a sus burladores, a quienes les habían utilizado en beneficio de sus ambiciones personales y deseos de poder. Se admite que también los hubo honestos, íntegros y decentes, que guardaron fidelidad a sus ideas y principios, salvaguardando los compromisos adquiridos con cuantos les secundaron en sus honrados afanes... Pero parece ser que fueron los menos. Pocos, pocos. Porque los historiadores modernos, si no todos una gran mayoría, cuestionan seriamente la dignidad de buen número de protagonistas histórico-revolucionario-políticos iberoamericanos que en su día, en su momento, gozaron de un aura rayana en el estoicismo. Y está claro que de mártires, nada; si acaso mártires de sus errores, que no de su mala fe.

De uno de esos personajes, de esos carismáticos portadores de estandartes y enseñas democráticas, vamos a tratar en este libro: Agustín de Iturbide Aramburu.

Como la casi totalidad de sus compadres coetáneos enfrascados en las luchas independentistas y revolucionarias, hablamos de un hombre polémico, controvertido, contradictorio y altamente conflictivo, que tuvo la sorprendente virtud de levantar pasiones de todas clases y colores (sus exégetas y sus detractores libraron auténticas polémicas dialécticas y también violentas, llegado el caso; discusiones bizantinas irresolubles porque unos y otros manejaban fútiles razonamientos); algo así como un caleidoscopio humano que cambiaba de tonalidad según la dirección del viento..., del viento que favoreciera sus intereses, deseos y ambiciones. ¡Y puede que hasta luchara por las mejoras sociales y políticas de su país!

Josefa Vega (1) en su biografía de Iturbide se expresa en el prólogo de la obra con curiosos términos, de los que ofreceremos textualmente una secuencia:

Poco se sabe de la infancia de Agustín —explica la autora—; *sólo algunas anécdotas referidas a sus travesuras infantiles que sus detractores han utilizado para argumentar una supuesta crueldad congénita y que sus apologistas han intentado desmentir con empeño desproporcionado al interés del asunto. En realidad sólo importó al afectado que el niño Agustín moviera un día maliciosamente una escalera en la que estaba subido un seminarista y que éste se diera un tremendo batacazo. Que disfrutara cortándoles las patas a las gallinas vivas no es tampoco prueba irrefutable de una naturaleza feroz y sanguinaria, aunque sí de una precoz inclinación a utilizar métodos bastante rebuscados para fastidiar al prójimo. Pero no queremos entrar en tan honda y trascendental discusión ni tomar partido por uno u otro bando. Dejemos las cosas en que Agustín jugaba en las calles de Valladolid y en las haciendas de sus padres con los niños de su edad sin dar muestras, por el momento, de ser ni el* varón de Dios *ni el* mismísimo diablo.

---

(1) *Protagonistas de América:* Agustín de ITURBIDE. *Josefa Vega.* Historia 16/Ediciones Quorum. Madrid, 1987.

De lo que sí dio muestra muy pronto fue de su escasa afición a los estudios. Es probable que recibiera la instrucción primaria de algún preceptor en su propia casa, como era corriente entre los niños de su nivel social en aquella época, pero parece ser que su maestro no logró despertar en él el interés por aprender, ya que las únicas noticias que se tienen de su formación intelectual se refieren a que estuvo matriculado en el Seminario Conciliar de Valladolid para seguir los cursos de Latinidad, de los que no llegó a completar ninguno. Ya desde joven, Agustín prefería la afición a la lectura y a las discusiones intelectuales, muy frecuentes en su ciudad, y sobre todo en el ambiente en que se movía su familia, porque Michoacán, y en especial su capital, Valladolid, era en su último decenio del siglo XVIII uno de los principales focos ilustrados de América.

Bien. Que un niño retire la escalera en que se encuentra subido un compañero quizá pueda tomarse por una travesura maliciosa, pero que atrope gallinas vivas para cortarles las patas, por muy niño que sea, pone en cuestión la limpieza de sentimientos de un menor y sus inclinaciones, si mucho se nos apura, sádicas. Este hecho vendría a encajar como anillo al dedo con las frases o expresiones de don Lorenzo de Zavala, que sirven de pórtico a nuestra biografía.

Pero, como dice Josefa Vega, también renunciaremos a formular apriorísticos juicios de valor, y tratando de mostrar la máxima objetividad, no tomaremos partido ni por los apologistas ni los detractores de Iturbide. Al término de esta obra los hechos y circunstancias se pronunciarán por sí mismos, dictarán sentencia. Y ustedes los lectores, claro.

Acto seguido presentamos una sinopsis biográfica del protagonista de este volumen, que tiene su razón de ser en el hecho concreto de que el lector podrá hacerse una idea esquematizada sobre aquél (vida y milagros), lo cual ha de permitirle seguir con mayor conocimiento de causa el resto del libro (donde ampliaremos con detalle esta síntesis inicial) e incluso tener una idea exacta de la cronología y desenvolvimiento de los actos (y actitudes) que marcaron la singular trayectoria personal y política de Agustín de Iturbide.

Leamos pues...

Nos referimos al militar y político mexicano, primer emperador de México, nacido en Valladolid, hoy Morelia, el 27 de septiembre de 1783, que murió fusilado en Padilla el 19 de julio de 1824. Era hijo de Joaquín de Iturbide, español, de Pamplona, y de Josefa de Aramburu, ambos pertenecientes a distinguidas familias. Estudió latín en el seminario de su ciudad natal, abandonando la escuela a los quince años para dedicarse a las tareas campestres. Poco después ingresó en el ejército como alférez del regimiento provincial de Valladolid, encontrándose en México cuando se produjo el motín contra el virrey Iturrigaray (1808) y fue de los primeros en ofrecer sus servicios al Gobierno que sobrevino como consecuencia de la insurrección promovida por Gabriel Yermo. Estuvo implicado también en la conspiración contra Michelena (1809), pero en cambio se negó a secundar la revolución del cura Hidalgo (2), quien le ofrecía el grado de teniente coronel (1810). Tiempo más tarde se distinguió en las filas realistas y, a partir de la batalla del monte de las Cruces, se batió con denuedo contra los revolucionarios, llevando a cabo auténticas proezas militares, sobre todo en el sitio de Valladolid (1813), donde, con menos de cuatrocientos efectivos, atacó un numeroso ejército

---

(2) Hidalgo y Costilla, Miguel (1753-1811). Padre de la independencia mexicana (parece ser que México tuvo excesivos padres de sus muchas independencias), nacido en la hacienda de Corralejo (Guanajuato). Estudió la carrera eclesiástica en el Colegio de San Nicolás Obispo (Valladolid, actual Morelia) y se ordenó sacerdote en 1779, pasando en 1803 a regir el curato de Dolores, donde el 16 de septiembre de 1810 lanzó el grito de independencia. Al épico *Grito de Dolores* no tardó en dar respuesta un nutrido grupo de nativos, mal aunada, pero estimulada por el estandarte de Nuestra Señora de Guadalupe, reforzado pronto por unidades de la milicia nacional. Esta fuerza, acaudillada por Hidalgo como generalísimo de los insurrectos, contó al principio sus acciones por victorias, apoderándose de San Miguel, Celaya, Valladolid y Guanajuato. Pero en su intento de ocupar la ciudad de México, el ejército de Hidalgo padeció dos graves reveses y, pese a conseguir reorganizarse, quedó desbaratado por las tropas realistas de Calleja, que le infligieron una aplastante derrota el 17 de enero de 1811. Hidalgo y sus lugartenientes cayeron prisioneros cuando trataban de escapar hacia Estados Unidos, y el caudillo, degradado primero, fue fusilado después en Chihuahua.

mandado por Morelos y consiguió, no vencerlo, porque esto era materialmente imposible, pero sí introducir la confusión entre los mexicanos, que acabaron batiéndose entre ellos mismos y abandonaron el campo. En 1814 obtuvo el mando de las provincias de Guanajuato y Valladolid y del ejército del Norte, cuando ya era teniente coronel, pero su excesivo rigor castrense motivó las quejas y protestas de algunos personajes influyentes, que fueron atendidas por las autoridades españolas, siendo Iturbide depuesto en consecuencia. Se hallaba, pues, en el retiro, cuando fue restablecida la Constitución española (1820) y se organizó la conspiración de la *Profesa,* llamada así por haberse iniciado en la casa profesa establecida por los jesuitas en México y a la sazón convertida en casa de ejercicios espirituales de San Felipe Neri. El objetivo primordial de dicho complot consistía en declarar la independencia de la colonia, pero conservando la forma de gobierno absoluto. Con tal fin se reunieron los partidarios del absolutismo en México, aprobando primeramente un plan por el cual se impediría la jura de la Constitución declarando que el rey, al pronunciarla, se encontraba privado de libertad y que, mientras no las recobrara, el gobierno de Nueva España sería depositado en manos del virrey Apodaca. Para comunicar a éste los proyectos acordados, fue designado Iturbide, quien, al efecto, celebró una larga conferencia con Apodaca. Parece que Iturbide tenía el designio, desde mucho antes, de llevar a cabo la independencia de México, utilizando al efecto las mismas tropas que tenía a su cargo, pero constituía un obstáculo para ello el prestigio de jefes como Guerrero (3) y Pedro Asensio, que seguían luchando con éxito en el sur contra la metrópoli. El virrey nombró a Agustín de Iturbide jefe de la comandancia militar del Sur, concediéndole el empleo de general de brigada. De este modo podría conseguir su objetivo, destruyendo primero a los

(3) Guerrero, Vicente. General y político mexicano, nacido en Tixtla. En 1810 se incorporó a los patriotas de Morelos, cubriéndose de laureles en numerosas batallas contra los realistas. En 1821 accedió a cooperar con Iturbide, pero, al proclamarse éste emperador, alzó bandera de rebeldía. En 1829 se hizo elegir presidente por el Congreso. Derrocado, trató de hacer valer sus derechos con las armas, siendo fusilado alevosamente. El Congreso lo declaró benemérito de la patria.

jefes republicanos y proclamando después la independencia, conforme al plan que más tarde se llamó de *Iguala,* que ya había dado a conocer confidencialmente a sus más íntimos, que lo aceptaron con entusiasmo como el medio más seguro de implantar un nuevo gobierno de libertades en el país. El 16 de noviembre de 1820 salió Iturbide de México prometiendo al virrey que no regresaría sin haber liquidado la revolución, y estableció su cuartel general en Teloloapam, pero Guerrero y Asensio, lejos de amedrentarse, causaron serios reveses a las fuerzas de Iturbide, que entonces cambió de pensamiento intentando atraerse a Guerrero, al que dirigió una carta aconsejándole la conveniencia de que depusiera las armas y se acogiera al indulto, al tiempo que le insinuaba que luego sería fácil proclamar la independencia. Guerrero repuso que ésta debía conquistarse en los campos de batalla, pero Iturbide insistió en su tesitura pidiendo a aquél una entrevista, que no se tienen evidencias fehacientes de que llegara a celebrarse, pero sí es cierto que Vicente Guerrero acabó aceptando las proposiciones de Iturbide, presentándose para servir a sus órdenes. Agustín envió al virrey, al arzobispo de México y a otros personajes, copias del *Plan de Iguala,* al mismo tiempo que ganaba nuevos partidarios en el campo de los independientes, comenzando la última fase de la guerra de la Independencia, que habría de concluir el 23 de septiembre de 1821, con la entrada en la capital del llamado *ejército trigarante.* Cuando se trató de organizar el Gobierno, Iturbide, que antes había declarado que no ambicionaba honores ni empleos y que sólo había aceptado, y aun después de muchas instancias, el cargo de jefe del *ejército trigarante,* asumió la dirección de los asuntos públicos y nombró una Junta de gobierno compuesta por treinta y ocho individuos, excluyendo a los veteranos de la guerra. La Junta le eligió su presidente y más tarde fue nombrado presidente de la regencia, concediéndose a su padre el título de regente. A Agustín se le asignó un sueldo de 120.000 pesos anuales, a partir de la fecha del *Plan de Iguala,* un capital de 1.000.000 de pesos, la propiedad de un terreno de veinte leguas cuadradas en Texas y el tratamiento de Alteza Serenísima. Durante el tiempo que formó parte de la regencia, Iturbide dio muestras de talento y energía, y el 18 de mayo de 1822 el sargento Pío Marcha le proclamó públicamente emperador de México, siendo ratificada la proclamación por el Congreso Nacional del 20 de mayo y efectuándose la ceremonia de coronación el 21 de julio siguiente.

Las provincias recibieron con júbilo la noticia, ya que Agustín de Iturbide se había hecho acreedor al cariño del pueblo por su valor, talento y sagacidad, y luego por su desinterés, renunciando al cuantioso donativo que la Junta le hiciera poco antes, pero no tardó en surgir el desacuerdo entre el emperador y el Congreso, que se opuso a varias iniciativas de aquél, por lo que acabó disolviendo aquella asamblea. Algún tiempo después el coronel Santa Ana organizó una insurrección contra el naciente imperio, proclamando la República el 2 de diciembre de 1822, mientras Guerrero hacía lo propio en el Sur. El plan de *Casa Mata,* que pedía la instalación inmediata del Congreso y el reconocimiento de la soberanía nacional, al paso que prohibía que se atentara contra la persona del emperador, fue promulgado el 1 de febrero de 1823 y secundado por casi todo el país. Los mismos generales que antes le habían ayudado, volvieron sus armas contra Iturbide y éste, en tan angustiosas circunstancias, intentó negociar con los sublevados, pero en vano, y tuvo que abdicar ante el Congreso el 20 de marzo de 1823.

El Congreso, desentendiéndose de su renuncia, declaró nula su elección, ordenándole que saliera del país, que fijara su residencia en Italia, y le concedieron un sueldo de 25.000 pesos anuales y el título de excelencia. También fueron declarados sin efectos el *Plan de Iguala* y los tratados de Córdoba, dejando a la nación el derecho de constituirse como mejor le pareciera. Se encargó al general Bravo, antiguo amigo de Iturbide, que le custodiara hasta el puerto de embarque, tramándose durante el trayecto una vulgar conspiración para asesinarle, pero Bravo le salvó la vida pese a tratarle con tanta severidad como dureza. El ex emperador arribó a Liorna el 20 de agosto de 1823, de donde pasó a Florencia y posteriormente a Inglaterra, publicando allí un manifiesto. En la capital británica tuvo noticias de sus amigos de México, que le pintaban con tétricos colores la situación del país. Iturbide, en el colmo de la inocencia (de la ignorancia, del atrevimiento, o quizá sintiendo hervir otra vez sus ambiciones personales), envió un comunicado al Congreso ofreciendo su persona, servicios, armas y dinero. Entre tanto la Asamblea le había declarado traidor y fuera de la ley, lo cual ignoraba Agustín, que embarcó en Londres con su esposa y dos hijos menores el 4 de mayo de 1824, llegando a las costas mexicanas el 14 de julio. Para no infundir sospechas, bajó a tierra uno de sus acompañantes, el coronel Beneski, pidiendo licencia al comandante militar F. de la Garza para desembarcar, en unión de sus compañeros, pues no tenía otro objeto que colonizar. Desembarcó Iturbide, pero por su destreza como jinete y su disfraz despertó las sospechas del sargento que custodiaba el punto, quien destacó varios soldados que fueron tras aquél hasta detenerlo en el paraje de los Arroyos, presentándole luego a Garza, al que se dio a conocer, asegurando que no regresaba con ánimo hostil, como se podía comprobar dada la carencia de escolta y la compañía de sus familiares más próximos. Pero haciendo oídos sordos a tales justificaciones, el comandante militar le hizo preso, conduciéndole a Soto la Marina y añadiendo que se fuera preparando para morir en un plazo de tres horas.

Agustín de Iturbide, con una entereza y serenidad extremas, escuchó la sentencia sin un leve parpadeo, enviando, al que así le condenaba sin escucharle, el borrador de una exposición que estaba redactando para el Congreso, solicitando al mismo tiempo la presencia de su capellán (que había quedado a bordo) para facilitarle los postreros auxilios espirituales. Garza, compadecido frente a la actitud de aquel hombre recio y valiente, suspendió la ejecución, dando cuenta al Congreso del Estado de Taumalipas, que se hallaba en Padilla, adonde fue conducido Iturbide.

Durante el trayecto, F. de la Garza tomó la extraña y sorprendente decisión de otorgarle el mando de las fuerzas que le custodiaban, llegando a Padilla el día 19; el Congreso, erigiéndose en Tribunal, decretó, algunas horas antes, al saber de su inminente presencia allí, que se ejecutara inmediatamente la sentencia. Entonces Garza le volvió a quitar en seguida el mando de las tropas y se presentó ante el Congreso, poniendo en su conocimiento que Iturbide, al salir de Inglaterra, ignoraba la ley de proscripción y que sus intenciones no eran violentas ni revolucionarias. El Congreso, que no estaba dispuesto a reconocer atenuante alguna en pro del ex emperador, mantuvo la sentencia condenándole a morir.

A las seis de la tarde, el mismo Agustín dio aviso, a la guardia que le vigilaba, de que era llegada la hora de la ejecución.

Y al llegar a la plaza, dijo a los soldados que le custodiaban:

—*Dejad, muchachos, que eche una última mirada al mundo...* —y preguntando cuál era el lugar del suplicio, allí se dirigió con firmes pisadas.

Se vendó los ojos por su misma mano, habiendo entregado antes al sacerdote que le asistía el reloj y el rosario que llevaba al cuello para que los enviara a su primogénito y una carta para su esposa; previno que se les dieran a los soldados que iban a formar el piquete de fusilamiento algunas monedas de oro que llevaba en el bolsillo, y luego dirigió una breve alocución, con voz ajena al temblor, recomendando a todos el amor a la patria, el respeto a las leyes y a la observancia de la fe religiosa.

Entonces, el ayudante Castillo dio la orden:

—*¡Fuego...!*

Cayó acribillado, con una bala en la cabeza y varias en el pecho, recibiendo sepultura en el cementerio de Padilla.

Durante la administración del general Bustamante, 1838, por deseo expreso del Congreso, promovido por aquél, se mandaron trasladar los restos mortales de Agustín de Iturbide Aramburu a la capital, donde fueron recibidos con extraordinaria solemnidad, en la tarde del 25 de septiembre de aquel mismo año. Después de unas ceremonias y exequias magníficas que sirvieron para rehabilitar su memoria, sus despojos fueron inhumados en la capilla de San Felipe de Jesús, de la catedral de México, dentro de un sarcófago de mármol. Esta rehabilitación continúa en las investigaciones históricas modernas sobre la América española. Una de las obras que con mayor claridad, concisión y autoridad de citas presenta con su verdadero valor la figura de Iturbide es *El fin del Imperio español en América* (4), de Marius André, versión española de José Pérez Hervás, Barcelona 1922.

---

(4) Tenga en cuenta el lector que los textos que conforman la sinopsis biográfica transcrita datan de principios del siglo XX, sin que por ello hayan perdido

Hemos sintetizado, como se dijo al principio, la vida, milagros y muerte de don Agustín de Iturbide Aramburu, lo cual no sólo nos ha acercado un tanto a nuestro protagonista, sino que nos permite conocer más íntimamente su carismática personalidad y sorprendente idiosincrasia, datos todos que facilitarán el mejor entendimiento de la exposición ampliada y pormenorizada que iremos relatando en los próximos capítulos.

vigencia ni rigor histórico, sino más bien todo lo contrario. En cuanto al libro que se cita (tener acceso a un ejemplar del mismo nos creó en su momento serias dificultades), *El fin del Imperio español en América,* de Marius André, por considerarlo de extraordinario interés, trasladaremos en el siguiente apartado el capítulo final de aquel en el que, como ya han podido leer, se hacen importantes referencias al personaje del que tratamos en la presente obra.

Un continente y otro renovando las viejas prosapias, en espíritu unidos, en espíritu y ansias y lengua, ven llegar el momento en que habrán de cantar nuevos himnos...

Rubén Darío.

Paréntesis

— Reseña histórica de gran interés —

(La anarquía sangrienta y la reacción católica en México)

El biógrafo, el historiador, el novelista (según el tema que éste aborde) tienen —tenemos— como premisa primordial, y constante desafío, el acercarse al máximo a la información veraz y contrastada, eliminando cualquier mácula de duda, antes de transferir a sus lectores la obra cuyo contenido literario están elaborando. En la actualidad, justo es reconocerlo, disponemos de una tecnología punta (que se dice) que nos permite el acceso a fuentes documentales fidedignas con una rapidez y eficacia casi meteóricas, pero aun así, en algunos casos muy concretos (quizá sea por aquello de que todas las reglas tienen excepciones), nos vemos obligados a llamar a la *puerta* de la metodología convencional, los métodos de antaño, de siempre..., que no son otros que encerrarse en bibliotecas (hoy magníficamente acondicionadas y con sistemas que facilitan el seguimiento de cualquier obra) y remover ficheros, estantes y libros, tantas veces como haga falta, hasta alcanzar el objetivo de nuestra tenaz búsqueda, el dato o libro que consideramos imprescindible para llevar a buen puerto la tarea literaria en la que estamos inmersos.

Viene a cuento lo expuesto porque, cuando al transcribir el texto biográfico sintetizado de Agustín de Iturbide, como ya ha podido observar el lector (nota a pie de página al margen), se citaba al término del mismo un título: *El fin del Imperio español en América*, apuntando su directa relación con el protagonista de este libro y la seriedad profesional con que en aquél se le trataba. A partir de aquí se consideró importante traer hasta estas páginas la secuencia de dicho volumen referida a don Agustín de Iturbide, y a esa tarea nos aplicamos, pero... Luego de consultas y más consultas tuvimos acceso a un ejemplar de la obra —aunque no a la edición que se cita de 1922, sino a otra posterior de 1939— gracias a los buenos servicios de doña Pilar Romaní, bibliotecaria documentalista de la *Biblioteca de Catalunya* (Barcelona/España), quien tras ardua tarea e incansable criba informativa nos puso en las manos el ejemplar aludido, que nos servirá para llevar hasta ustedes (el capítulo V) ese fragmento importante en el que se hace puntual y escrupulosa referencia a nuestro biografiado.

Vayamos pues, a ello, sin mayores dilaciones.

EL FIN DEL IMPERIO ESPAÑOL EN AMÉRICA

CAPÍTULO V

— LA ANARQUÍA SANGRIENTA Y LA REACCIÓN CATÓLICA EN MÉXICO —

Ninguna historia demuestra, más que la de la revolución mexicana, la falsedad de las teorías que hacen de la emancipación hispanoamericana una consecuencia de la propaganda de las ideas revolucionarias francesas. En la América del Sur, la proclamación de los derechos del hombre tuvo cierta influencia sobre una minoría; pero los excesos del 93 suscitaron la reprobación unánime de los partidarios de la independencia. En México, no hubo ni aun esta adhesión a los *inmortales principios* por parte de los partidarios ilustrados, aristócratas o grandes propietarios. La influencia es nula en absoluto. La revolución se inicia allí por un movimiento de sangrienta anarquía que suscita un cura indigno, condenado por la Iglesia, el cual

NOTA: En cursiva las partes del texto transcritas literalmente del original.

no tiene otro objeto que el de establecer una teocracia demagógica y hace que los indios asesinen a los blancos invocando a la Santísima Virgen. Después de su derrota, la obra de la emancipación es realizada, sin derramar sangre, con ayuda del alto clero, por una reacción católica contra el Parlamento que gobierna a España y contra la francmasonería que quiere imponer en México leyes antirreligiosas que el país rechaza. El triunfo —desgraciadamente de poca duración— de los principios de orden político en una sociedad católica, el de un plan de emancipación elaborado en la celda de un monje, es el que los revolucionarios y francmasones han celebrado como triunfo propio en septiembre de 1921. Difícil sería imaginar una intervención más extraordinaria. Para que fuera posible, ha sido necesario que, durante cien años, se procurara en México ahogar por todos los medios posibles la verdad histórica. Ha sido necesario que los inventores de fábulas encontraran, en los demás países del mundo, cómplices y escritores de buena fe que tomaran la historia adulterada por verdadera y contribuyeran a imponerla.

* * *

La historia falsificada, cuyos fines principales son inspirar el odio o el menosprecio contra el antiguo régimen español y contra la Iglesia, se agrava, en la mayor parte de los manuales, con un número increíble de errores de hecho y de fecha, que no son de utilidad alguna para la defensa de la tesis en cuestión. Tomo, de uno de esos libros, la frase por la cual empieza el resumen de la insurrección mexicana:

En México, dos curas, Hidalgo y Morelos, el joven Mina, los guerrilleros Bravo, Bustamante y Guerrero, expulsan al virrey español Iturrigaray y proclaman la independencia de México (1813) (5).

---

(5) Jallifier y Vast: *Histoire contemporaine,* pág. 747. Jallifier y Vast han cometido dieciocho errores de hecho en seis páginas y media, y Seignobos, cincuenta y cinco en seis páginas. Tal es la historia que se enseña en nuestros liceos y colegios. Es tiempo ya de que el Consejo Superior de Instrucción Pública tome medidas para poner un poco de orden en este caos o suprima la enseñanza de la historia de América. (Nota de Marius André, autor de la obra cuya secuencia transcribimos.)

1.º La expulsión de Iturrigaray tuvo lugar en 1808 y no en 1813.

2.º Ninguno de los personajes nombrados tomó parte en ella.

3.º La proclamación de la independencia de 1813 es puramente verbal. Los españoles son dueños de la mayor parte del país, de la capital, y son los únicos que tienen un verdadero Gobierno organizado.

4.º La independencia no podía ser proclamada en 1813 por Mina, que era entonces, en España, oficial del ejército español y que no llega a México hasta 1817; ni por Hidalgo, fusilado en 1811.

5.º Iturrigaray no fue expulsado ni por los partidarios de la independencia ni por los reformistas, sino, al contrario, por el partido de los españoles peninsulares que le sospechaban cómplice de los patriotas mexicanos y de preparar la independencia del país mediante la convocación de un congreso. Acusado de traición, fue preso y embarcado en un navío con destino a España.

En este último párrafo se advierte una de las profundas diferencias que hay entre la revolución mexicana y la de los otros países latinoamericanos. En la América del Sur se expulsa a los virreyes y gobernadores con el fin de establecer gobiernos autónomos, respetando al mismo tiempo los derechos del rey cautivo. México permanece adicto no sólo a la persona del soberano de las Indias Occidentales, sino incluso a España. Por eso Iturrigaray que, si hubiese sido virrey de La Plata o capitán general de Venezuela, habría sido nombrado jefe del nuevo Gobierno, es expulsado de México por el partido español.

La segunda diferencia esencial consiste en que, mientras en América del Sur la revolución empieza por un movimiento de los patricios que quieren hacerla en provecho propio y tienen fines determinados, en México es una explosión de salvajismo indígena suscitado por un blanco que, por lo menos al principio, no sabe adónde va.

El 16 de septiembre de 1810, Hidalgo da la señal de la sublevación, famosa bajo el nombre de *grito de Dolores,* nombre del pueblecillo en que lo lanzó.

Según una leyenda edificante que ha suplantado a la cruel verdad histórica, Hidalgo era un excelente cura campesino, un idílico que empleaba sus ocios en cultivar el jardín. Un día plantó cepas de vid, después hizo vino con sus racimos. Esto era un crimen porque el cultivo de la vid estaba prohibido, como nadie lo ignora, en toda la América española. Cuando lo supo el Gobierno, envió soldados para arrancar las cepas. Por eso, dice una de nuestras enciclopedias: *Hidalgo resolvió sublevar contra el yugo extranjero una población que desde hacía mucho tiempo temblaba de cólera.* Otros añaden que lanzó un *grito de dolor* (6) contra los europeos.

Pero la verdad es muy diferente. En primer lugar, el cultivo de la vid y la elaboración del vino no estaban prohibidos en la América española. Nadie impedía al cura Hidalgo cosechar su vino. Verdaderamente era viticultor —la leyenda es cierta sobre este particular— y se entregaba también a toda clase de trabajos agrícolas. Además, era industrial. Porque, contrariamente a la leyenda convertida en historia oficial, en México no estaba prohibida ninguna industria. Pero todo esto no le satisfacía: Hidalgo era un espíritu ebrio que se lanzaba a los negocios industriales y agrícolas como va a lanzarse a la revolución: sin reflexión ninguna.

A pesar de sus quiebras en los negocios, no estaba en la miseria. Su parroquia le proporcionaba una suma anual equivalente a cerca de cien mil francos de nuestra moneda (de nuestra moneda de anteguerra), y no le daba ningún trabajo; se había descargado en un vi-

---

(6) Se toma un nombre propio de un pueblo por un nombre común; la traducción es errónea y cómica. Cierto número de los errores de nuestros historiadores están sacados de autores alemanes considerados como infalibles; a veces, se copia palabra por palabra. Ejemplo: *Alors le curé poussa son village le fameux cri de douleur* (grito de Dolores) *contre les Europeens* (Gervins: *Histoire du dixneuvième siècle, depuis le traitè de Vienne,* traducida del alemán por J. F. Minssent. t. IV, pág. 131). *Hidalgo pousse dans son village le celébre cri de douleur* (grito de Dolores) *contre les Européens* (Gustavo Hubbard: *Histoire contemporaine de l'Espagne,* t. I, pág. 216).

El verdadero grito de Dolores consistió en estas palabras pronunciadas por Hidalgo: *¡Viva por siempre nuestra Santísima Madre de Guadalupe! ¡Viva por siempre América y mueran los malos gobiernos!* (Nota del traductor de la obra de André, José Pérez Hervás.)

cario de todas sus atenciones de iglesia y de sus cuidados espirituales. En suma, era uno de esos malos sacerdotes, no raros en las lejanas Indias, en una época en que el mantenimiento de la disciplina y la vigilancia de las autoridades superiores eran muy difíciles.

Este párroco rico es quien provoca una sublevación formidable de indios; comienza por reclutar una banda en su región, excitándoles a la matanza de españoles, al saqueo de las propiedades, y todo ello prometiéndoles el reparto de las tierras. Les habla también de la religión amenazada por un emperador extranjero, dueño de España; hace pintar en sus banderas la imagen de la Virgen de Guadalupe, patrona de México, y lanza el grito clásico de todas las revueltas locales de indígenas: *¡Viva el rey y mueran los malos gobernantes!*

La profesión de fidelidad al rey no era sincera, como la invocación a la religión amenazada; mas ambas eran necesarias para reclutar soldados entre los indios. Al cabo de algún tiempo, habiendo obtenido el efecto deseado, son suprimidos el nombre y la efigie de Fernando VII. El cura Hidalgo cuelga su sotana, se viste un ridículo uniforme de general y toma el título de Alteza Serenísima. Se rodea de una verdadera corte, establece una etiqueta, da fiestas, bailes presididos por una mujer que le sigue por doquier y a la cual se le rinden honores principescos.

Para Seignobos, que no quiere que entre 1808 y 1814 haya habido una verdadera guerra, la aventura de Hidalgo se reduce a la marcha, hacia la capital, de una gran muchedumbre apenas armada que es atacada y derrotada delante de México por una tropa española. La verdad es otra. Hidalgo levanta un verdadero ejército, el mayor que hasta entonces se había visto en América. Este ejército no deja de aumentar a medida que Hidalgo avanza y acaba por sobrepasar la cifra, formidable para la época y para el país, de 80.000 hombres. Se apodera de muchas localidades de la región de Querétaro, donde entrega al saqueo las casas y los bienes de los españoles. Sitia en seguida a Guanajuato, la toma y entra en ella triunfalmente; sus indios degüellan a los españoles de esta ciudad sin miramiento de edad ni sexo. De triunfo en triunfo, de matanza en matanza, llega, en algunos meses, a ser el dueño de las provincias más ricas y pobladas de México: Guanajuato, Valladolid, Zacatecas, San Luis Potosí, Guadalajara, una parte de Sonora y todas las «provincias internas» del Este hasta la frontera con los Estados Unidos.

En noviembre de 1810, se aproxima a México. La ciudad, donde sólo hay 2.000 soldados para defenderla contra 80.000 insurrectos, no puede resistir. Hidalgo no tiene más que entrar con sus tropas. Pero bruscamente levanta el campo y se retira. Esta retirada la motiva el temor de verse atrapado entre la fuerzas de la guarnición y un ejército que acudía de la provincia.

Si Hidalgo hubiera entrado en la capital habría habido una carnicería espantosa —ciertos autores han dicho que para evitarla, lleno de espanto, retrocedió— y la historia hubiera registrado este hecho inaudito: *un cura secularizado que funda una monarquía imperial, lo cual habría sido una mezcla siniestra y grotesca de teocracia y demagogia, y que sube al trono y hace sentar junto a sí a su querida.* Y esto habría durado el tiempo de un carnaval de sangre.

Algunos días después, Hidalgo se encuentra en Aculco con el ejército español, cuyo encuentro había querido evitar. Es derrotado: sus indios son presa repentinamente de un pánico indescriptible, es una desbandada general, un sálvese quien pueda, más que una batalla (7 de noviembre de 1810). Los insurrectos sufren una nueva derrota en el puente del Calderón (17 de enero de 1811), pero Hidalgo y su lugarteniente Allende, que le sucede en el mando, siguen dueños de gran parte de México. Fueron hechos prisioneros en marzo de 1811 y pasados por las armas.

Solamente a partir de 1823, cuando los demagogos y francmasones se han hecho dueños del poder, se forma la leyenda de Hidalgo, padre de la patria, padre de la República, bienhechor del pueblo. Mas antes de que se forjara e impusiera, los contemporáneos no se habían engañado acerca del asunto. He aquí lo que escribía un republicano, un año después de la ejecución de la «Alteza Serenísima»; su testimonio prueba tanto más cuanto que está exento de pasión y fue publicado por un periódico que defendía osadamente la causa de la independencia latinoamericana: *Dando al sentimiento de la compasión el lugar debido, confesemos que con la muerte de Hidalgo la revolución ha ganado más bien que ha perdido. Aquel hombre no era patriota ni era republicano, ni poseía ninguna virtud republicana. Si le faltaba el talento de un general, tampoco tenía el desinterés ni el celo por la causa de la patria que hacen un buen ciudadano* (7).

La causa de la independencia, como la de la República, no podía, en efecto, sino ganar con la muerte de Hidalgo. Ningún ideal generoso anima a las hordas de 1810 y el jefe que las sigue más bien que las dirige; sólo les excita la sed de asolar, robar y matar. Tienen, quizá, la fuerza ciega desordenada, brutal, pero irresistible de un ciclón. Las gentes honradas, los trabajadores, los que poseen algunos bienes se apartan, cada vez en mayor número, del partido de la emancipación —aunque deseen ésta—, porque ven que se empuja a la patria mexicana hacia un precipicio en el que, de un instante a otro, está a punto de sucumbir.

* * *

Morelos, otro cura siniestro, en rebelión contra la autoridad eclesiástica, continúa la obra de Hidalgo, al cual es, no obstante, superior en todo. Lleva la guerra con crueldad, pero no es sanguinario, y sabe organizar las operaciones estratégicas. Sus ideas políticas son igualmente una monstruosa mezcla de teocracia y comunismo. Pero procura poner orden, sabe dar carácter legal a la revolución poniéndose al servicio de un Congreso cuya autoridad reconoce y que proclama la independencia.

Con su amigo, el abogado Rayón, presidente de la Junta Revolucionaria, elabora la más extraña de las constituciones. Aunque están desaprobados y condenados por los obispos, quieren instalar un gobierno católico. Restablecen la Inquisición, pero le dan otro nombre, y derogan el tormento. Por otra parte ya hacía tiempo que la misma Inquisición había abolido el tormento. En esto, no hacían

(7) *La Aurora de Chile*, edición del 17 de septiembre de 1812. (Nota que se inserta en el testo original que transcribimos. Alusión respetada por el autor de la presente obra. Nota del editor.)

más que imitar al Parlamento español. Las Cortes de Cádiz habían suprimido así mismo la Inquisición y el tormento. Los escritores actuales que celebran el carácter *democrático* del Parlamento de 1810, se cuidan bien de decir —sin duda lo ignoran— que en el fondo no suprimió absolutamente nada y que aquello fue únicamente una reforma política peligrosa. El humanitarismo consistió en el eufemístico cambio de la palabra *Inquisición* por la de *Tribunales Protectores de la Fe* y en suprimir el cargo de *gran inquisidor*, que dependía directa y únicamente de Roma. Al hacer que los *tribunales de la fe* dependieran exclusivamente de los obispos, se esperaba someterlos más a la autoridad real mediante el régimen de patronato, esto es, al Parlamento. Por consiguiente, si el nuevo sistema hubiera funcionado y se hubiera desarrollado, se habría estado amenazado con uno de esos degradantes procesos que excitaban el desprecio de Augusto Comte. Lo mismo ocurrió en México, y no puede pensarse sin temblar en lo que esta inquisición habría llegado a ser en manos de anabaptistas, curas generales, curas altezas y curas dictadores.

En el siglo XVIII, los Borbones, reyes absolutos, habían abierto poco a poco la América al comercio de todos los países e inaugurado un período de prosperidad. Morelos y Rayón reflexionan seriamente sobre la conveniencia de cerrarla; preparan leyes contra los extranjeros, a fin, dicen, de defender la pureza de María Santísima puesta en peligro. Caen en las peores extravagancias. Pues bien, por una de las más fantásticas falsificaciones históricas que pueden concebirse, ¡Rayón y Morelos figuran entre los padres de la democracia y del libre pensamiento después de Hidalgo!

Mientras que Morelos y Rayón hacen una guerra frecuentemente victoriosa a las tropas del virrey, los guerrilleros operan por cuenta propia en la mayor parte de las provincias.

No se toman el trabajo de invocar razones patrióticas; ya no se trata de Fernando VII, ni del yugo extranjero, ni de la libertades del pueblo. Estos guerrilleros atacan indistintamente las propiedades y personas de criollos, españoles, mestizos e indios; saquean y matan por dondequiera que pasan, sin preocuparse del origen y de las opiniones de sus víctimas. Las propiedades rurales se transforman, donde es posible hacerlo, en campos atrincherados y en fuertes para resistir a los bandidos.

Morelos tuvo la misma suerte que Hidalgo. Fue hecho prisionero y fusilado en diciembre de 1815. Después de esta ejecución disminuye el movimiento revolucionario, pero los capitanes de bandoleros —de los cuales la historia ha hecho también héroes— continúan la guerrilla de pillaje y matanza.

Del cuadro de horrores de esta época, hay que separar los nombres de algunos mexicanos que habían hecho la guerra con Morelos, y que la prosiguen después de su muerte y no son personajes grotescos y crueles, sino patriotas dignos y sinceros, tales como el caballero Bravo, Manuel de Mier y Terán, y Guadalupe Victoria, futuro presidente de la República.

Tampoco hay que mezclar con los nombres de los criminales y de los demagogos sin fe el del joven Mina, valeroso oficial español que se había hecho célebre en la guerra contra Napoleón. Impulsado por su entusiasmo por la causa de la libertad de los pueblos, desembarca en México en 1817 con un grupo de voluntarios, algunos de ellos franceses, forma un reducido ejército y lo lleva a una aventura bélica heroica que sólo dura algunos meses. Mina, hecho cautivo, es fusilado el 11 de noviembre del mismo año.

En los comienzos de 1818, México, devastado y ensangrentado, se encuentra en una situación de relativa tranquilidad. El Gobierno español ha tomado de nuevo posesión del país: la revolución se considera como definitivamente abortada. Tales son los resultados de lo que Gervinus y Hubbard llaman *grito de dolor* de *Su Alteza Serenísima* Hidalgo.

* * *

Para que México pueda conquistar su independencia, será necesario que, tras el vencimiento de la anarquía india, un grupo escogido se ponga a la cabeza del movimiento, como en la América del Sur. En el Norte como en el Sur, la emancipación fue obra de oficiales disciplinados, de patricios, de grandes hacendados, de burgueses y del clero superior. La adhesión de estos escogidos a la causa de la libertad se dibuja ya en México entre 1811 y 1815; se pronuncia en 1817. En 1821 realiza el sueño de los patriotas honrados y desanimados de 1810.

Para explicar el fácil triunfo de 1821, se limitan muchos historiadores a decir que, *no recibiendo el ejército más reclutas de España, se había llenado poco a poco de mexicanos, y los oficiales no querían más el gobierno de los españoles.* Es el mismo error de siempre según el cual la insurrecciones habían sido vencidas únicamente por cuerpos de ejército enviados desde España. Ahora bien, después, como antes de 1815; después, como antes de 1820, la mayor parte de las tropas leales en México y otras partes están reclutadas en el mismo país. La llegada de algunos batallones españoles, que desembarcan en fechas distanciadas, no modifica gran cosa la situación. El momento en que se cree que había menos *reclutas de España* en México es precisamente aquel en que eran más numerosos. Pero no decimos que fueran considerables: ya hemos visto que su número se elevaba, en 1820, exactamente a la cifra de 8.488 hombres.

Las razones del triunfo de 1821 son otras. La emancipación efectúa una contrarrevolución. El movimiento es una reacción contra el parlamentarismo liberal dueño de España, desde que, tras las sublevaciones militares iniciadas por Riego, Fernando VII fue obligado a restablecer la Constitución de 1812. Los mexicanos están indignados por las leyes que han votado las Cortes y muy particularmente por la expulsión de los jesuitas, decretada de nuevo. Sobre todo en la capital hay una gran oposición a que la Constitución sea puesta de nuevo en vigor; se pide que se la considere como *no existente* y que la Nueva España sea gobernada según las antiguas Leyes de Indias, en tanto que el rey no recupere la libertad de que es privado por el Parlamento. Los temores y la cólera de los mexicanos se aumentaban por el hecho de que, por lo menos, las cuatro quintas partes de los oficiales españoles de guarnición en México eran francmasones.

Los conspiradores se reunieron en México. Entre ellos había personajes influyentes en la sociedad criolla, individuos del alto clero y de la Congregación de San Felipe Neri, y el ex inquisidor Tirado. Se trataba, en principio, de examinar los medios de resistir a las Cortes de Madrid y entre los conspiradores los había que, de entrada, eran opuestos al separatismo; pero éstos vieron muy pronto que el único medio de sacudir el yugo parlamentario español era hacer a México independiente con Fernando VII o uno de sus parientes por rey. Se llegó al acuerdo, buscando un oficial valeroso a quien confiar la bandera de México, encontrándose en la persona de Agustín de Iturbide Aramburu que, hasta entonces, se había batido contra los independentistas.

Llegados a este período de la historia de Nueva España, la mayor parte de los escritores quedan completamente desconcertados. Que la revolución haya comenzado por los *pobres curas de aldea,* proletarios, en suma, que se oponen a los canónigos y a los obispos ahítos, pase todavía..., sobre todo en América. Pero a partir de 1820 es completamente imposible hacer concordar los acontecimientos con la doctrina. Los autores de manuales salen del paso sin gran esfuerzo: no tienen sino resumir en algunos parrafitos los acontecimientos que, por lo demás, ignoran y deforman cometiendo, como término medio, un error por cada frase. Pero los autores de historias minuciosas se encuentran en el mayor aprieto. *¿Cómo puede ser que unos* reaccionarios, *sostenidos por el alto clero, hayan emancipado un pueblo?* Eso es imposible. Y se acaba por encontrar esta explicación: *los reaccionarios no querían la independencia; fueron traicionados por* Iturbide, *su hombre.*

Leamos a Gustavo Hubbard, que no ha cesado de ser la autoridad oficial en la materia:

El ardor de los reaccionarios en México era tan vivo que una asociación vigorosa, muy parecida a nuestra Congregación de París bajo la Restauración, pudo organizarse bajo la dirección de dos canónigos del convento de la Profesa *con la sola idea de derrocar la Constitución de 1812; digna compañera de aquellas aciagas sociedades apostólicas que, por todo Europa, hacían entonces tan ruda guerra a la libertad. La asociación de la* Profesa *llegó a extender por todo México una vasta red conspiradora...; cuando esta asociación hubo extendido suficientemen-*

te sus ramificaciones por el país, esto es, hacia finales de 1820, creyó llegado el momento de hacer jugar todas sus baterías y de declarar solemnemente la abolición en México de la Constitución de 1812... Se dirigió al coronel Iturbide *y se* creyó *haber encontrado en él el instrumento conveniente para dar el gran golpe. Mas* Iturbide *comete una traición y trabaja por la independencia:* Todos aquellos que en la *Sociedad de la Profesa* pertenecían al partido exclusivamente gótico (español) *vieron con dolor la dirección que* Iturbide *había dado a su golpe de Estado.*

Ahora bien, la verdad es que Iturbide no fue solamente el mandatario de la *Profesa,* que no cesó, por otra parte, de estar de acuerdo con ella y que ella quería la independencia. Su plan no estuvo nunca limitado a abolir la Constitución; nunca pretendió restablecer el absolutismo. Desde el principio, quería hacer de México una monarquía constitucional. El acta de proclamación de la independencia fue inspirada y probablemente redactada, en parte, por un abogado, Espinosa de los Monteros, una de las inteligencias más relevantes de la época; como mínimo, fue sometida a su aprobación. Pues bien, Espinosa de los Monteros era uno de los individuos más activos e influyentes de la *Profesa.*

Hubbard ignora tal vez que uno de los canónigos directores de la *Profesa* de que él habla era el P. Monteagudo, *inquisidor honorario,* que en las primeras reuniones de los conjurados tuvieron lugar en su cámara, en el Oratorio de San Felipe Neri y que estaba plenamente de acuerdo con Iturbide para trabajar en la emancipación de México. Por otra parte, en febrero de 1821, los diputados mexicanos a las Cortes, encontrándose en Veracruz a punto de embarcarse para España, fueron convocados por el superior de un convento que les dio a conocer el acta que proclamaba la independencia, la cual no se había hecho pública todavía.

Finalmente, todo el clero superior nacional estaba ganado de antemano para esta causa. La prestación del juramento por parte de la oficialidad y de la tropa de combatir por la independencia fue una solemnidad religiosa, seguida de una *misa de acción de gracias* y de un *Tedéum.*

Todo esto prueba que Iturbide no traicionó a los clericales y que éstos querían sinceramente la emancipación de su país, que por otra parte hubiera sido imposible sin ellos.

Según testimonios contemporáneos dignos de fe, en particular el de Filisola, general italiano al servicio de España, Iturbide era partidario de la independencia antes de 1820, cuando luchaba contra los insurrectos, pero opinaba que era necesario primero reducir a la impotencia a las partidas de bandoleros que hacían una guerra de exterminio y a los últimos imitadores de los curas sanguinarios de los comienzos. Sólo después de alcanzado este objetivo, se podía soñar en un acuerdo nacional entre una parte de los insurrectos, antiguos combatientes por la patria, y no por la anarquía, y las tropas mexicanas que habían permanecido fieles a España.

Una vez resuelto el plan, Iturbide lo comunica a otros oficiales, mexicanos como él, y les convierte a la causa. Cuando llegue el momento, los oficiales arrastrarán a sus tropas, mexicanas igualmente; los españoles se adherirán al movimiento; veremos por qué causas.

En febrero de 1821, tiene dispuestos un número suficiente de oficiales y soldados. Marcha entonces contra el insurgente Guerrero, so pretexto de presentarle batalla; mas se hace preceder por emisarios y acaba entendiéndose con él.

La proclamación de la independencia se conoce con el nombre de *Plan de Iguala* (8), como el de la villa donde tuvo lugar el 1 de marzo de 1821. El artículo primero declara que la religión de Nueva España *es y será la católica, apostólica y romana, sin tolerancia de otra alguna;* el segundo, que *la Nueva España es independiente de la Antigua;* el tercero, que su gobierno será una monarquía constitucional; el cuarto está concebido en estos términos: *Su emperador será el señor don Fernando VII y, si él no se presenta en los plazos fijados por las Cortes, serán llamados, en su lugar, el serenísimo señor infante don Francisco*

(8) Al *Plan de Iguala,* por su trascendencia en el devenir político-militar de Agustín de Iturbide, le dedicaremos en exclusiva uno de los próximos capítulos de la presente biografía, para darle el minucioso y extenso tratamiento que por su condición requiere.

de Paula, el archiduque Carlos (de Austria) *o cualquier otro príncipe de casa reinante que el Congreso eligiere.*

El artículo doce establece la igualdad de todos los habitantes sin distinción de origen: los españoles nacidos en Europa son, pues, ciudadanos del país, como los criollos, los mestizos y los indios. Éste es el fin de la guerra fratricida, salvaje, sin piedad hasta para los no combatientes, comenzada once años antes por las hordas de Hidalgo. En 1827-1829 la República mexicana volverá a la funesta política del principio; sin embargo, no hará asesinar a los españoles, pero los expulsará en masa, y esto será causa de la decadencia de la nación.

El *Plan de Iguala* tuvo un resultado maravilloso, que honra la inteligencia y habilidad de los miembros de la *Congregación:* todo México lo aplaudió, e incluso numerosos españoles se adhirieron al movimiento, porque, después de tantos años de asesinatos, se les ofrecía una paz fraternal bajo el cetro de un mismo soberano.

Sin embargo, una raza y un partido se opusieron: 1.º, los negros de Tierras Calientes, que jamás habían dejado de ser fieles al gobierno de los virreyes y que fueron los últimos en deponer las armas; 2.º, la francmasonería, que se declaró abiertamente contra la independencia. Un oficial francmasón que había abrazado la causa de los patriotas recibió orden de abandonar el campo de Iturbide so pena de perder la vida.

Una congregación, los obispos, la nobleza, los conservadores, dos frailes inquisidores, realizan en algunos meses la obra de emancipación de un pueblo, que parecía perdida, en la cual habían trabajado en vano la demagogia y la anarquía, vertiendo sangre durante más de diez años. Y la francmasonería se opone a esta emancipación. Hay aquí una verdad histórica que los esclavos del apriorismo y de los mitos vense obligados a callar.

¡Pero qué!, los hechos son los hechos, y no podemos hacer que las verdades no sean la verdades.

Gustavo Hubbard, que calla cuanto puede y hace una mezcla de verdades y errores, resume no obstante bien el efecto producido por el *Plan de Iguala* y sus consecuencias:

> *Fue acogido en todas partes con un entusiasmo indecible.* Guerrero, *en cuanto lo conoció, dando un generoso ejemplo de conciliación, vino con sus partidas antiguas a unirse al nuevo libertador. Su ejemplo fue seguido por otros jefes: viose reaparecer súbitamente, saliendo del fondo de los desiertos donde desde hacía mucho tiempo se creía que había dejado las armas, a uno de los patriotas más obstinados,* Guadalupe Victoria, *y su primer acto fue alistarse bajo la nueva bandera. A estas adhesiones inesperadas que daban tan pronto un gran valor a su causa,* Iturbide *pudo juntar en poco tiempo la adhesión de los elementos esencialmente conservadores; en el ejército, en el clero, en la administración, hombres importantes dieron pruebas de su voluntad de unirse a su suerte. La revolución, sin haber derramado una gota de sangre, encontróse hecha de un extremo a otro de la Nueva España.*

Añadamos a este exacto cuadro algunas precisiones características. La conquista de México para Iturbide fue un paseo militar más bien que guerra, por la sencilla razón de que había obtenido de antemano un acuerdo casi unánime. La guerra de la independencia se termina, como por ensalmo, en cuanto los mexicanos han llegado a entenderse, lo cual prueba una vez más esta verdad que tantos historiadores, obstinada o ignorantemente, silencian. Aquélla fue sobre todo una guerra entre iberoamericanos, y España no hubiera podido sostenerla por sus propias fuerzas.

En un informe al Consejo de Regencia (7 de diciembre de 1821) Iturbide reconoce que ha triunfado sin esfuerzo y que su ejército ha marchado como sobre una alfombra de rosas. No tiene más que presentarse para que se le abran las puertas de las ciudades; el clero, con el obispo a la cabeza, acude ante él y le conduce a la catedral donde se canta un *Tedéum.* Las personas honradas, libres de la pesadilla que los criminales de la anarquía y los capitanes de bandidos habían hecho reinar durante tanto tiempo sobre el país, se entregan a públicos transportes de delirante júbilo. Iturbide es obligado a asomarse, a cada instante, al balcón de la casa donde se aloja —en las capitales de diócesis es ordinariamente en el palacio del obispo— y una de las primeras cosas que el público le pide a grandes gritos es el llamamiento de los jesuitas. Apenas se habrá instalado el primer Congreso del imperio mexicano (febrero de 1822), se levantarán numerosos diputados para pedir también ese llamamiento porque, dirán, México se ha separado de España, en parte, por causa de los jesuitas.

Mas, para hacer efectiva la independencia, era necesario apoderarse de la capital, establecer en ella un gobierno regular y convocar el Congreso. Aquí debemos citar una frase de Seignobos, que nos permite tomar al vivo un método histórico y los procedimientos a él anejos:

> *La guarnición de México se sublevó y depuso al virrey; un Congreso proclamó la independencia de México.*

Seignobos continúa inventando hechos, que son erróneos, pero conformes a las leyes de la revolución-tipo. Según una de estas leyes aplicables a los países hispanoamericanos, tierras de pronunciamientos, los soldados se *deben* sublevar, deponer al virrey o al presidente, y en seguida un Parlamento, legalizando la situación, reconoce o proclama el nuevo. Pues entonces, ¿para qué perder tiempo en investigaciones inútiles en los archivos o en las obras de historiadores reputados de verídicos? ¡Los hechos no pueden contradecir los dogmas! Desgraciadamente, para Seignobos, los contradicen.

En julio de 1821, el virrey Juan Ruiz de Apodaca, conde de Venadito, es depuesto por los oficiales y soldados de la guarnición de México. ¿Luego no se ha engañado Seignobos? ¡Sí y sí! Apodaca es depuesto no por los revolucionarios, sino por las tropas leales, a causa de su incapacidad, porque no ha sabido, dicen, tomar las medidas conducentes a conservar México para el Imperio español. Su destitución había sido resuelta por la logia francmasónica, y oficiales francmasones se habían comprometido a emplear la fuerza en caso de resistencia por su parte. El conde del Venadito era también francmasón —consiguientemente, todo pasaba entre familia—, pero no lo bastante hábil, o lo bastante celoso, a gusto de sus hermanos, para mantener bajo el yugo de España a un pueblo que deseaba emanciparse. ¿Se opuso, pues, la francmasonería, con las armas en la mano, a las reivindicaciones de todo un pueblo? Ya lo hemos dicho. El virrey se deja persuadir y entrega sus poderes a Francisco Novella, el cual redacta hermosas proclamas, pero no puede impedir que Iturbide siga el curso de sus fáciles éxitos.

El 30 de julio, un nuevo virrey, O'Donoju, desembarca en Veracruz. Se le llama virrey por costumbre y la historia le da ese título, pero en realidad, oficialmente, es *jefe político superior de la Nueva España.* Los agricultores, los industriales, los negociantes, piden la libertad de comercio y la autonomía administrativa; la nación entera, o por lo menos la inmensa mayoría, protesta contra el restablecimiento de la Constitución de 1812. El Gobierno de Madrid juzgó que se debe dar una satisfacción a ese pueblo sublevado; suprime una palabra, *virrey,* que la reemplaza por tres: *jefe político superior.* La fraseología impera de nuevo como en los tiempos funestos de las Cortes de Cádiz.

Le da este *privilegio,* pero en compensación O'Donoju es francmasón como su predecesor, y todos los oficiales que le acompañan también son francmasones. Un Gobierno inteligente no habría obrado así respecto de una colonia insurreccionada por la defensa de la religión tanto como por la conquista de sus libertades, y a la que no hubiera podido reducir por la fuerza: habría enviado un obispo o un jesuita. Esto es lo que había hecho Carlos V en el siglo VXI: un sacerdote provisto con sus plenos poderes, La Gasca, hábil y probo, pero tan modesto que rehusó, antes de partir para América, al título de obispo, libró entonces al Perú de los horrores de la guerra civil y le salvó de una ruina. Pero los tiempos de esta política humana y flexible habían pasado.

¿Será este O'Donoju el depuesto por una guarnición adicta a los revolucionarios? Esto daría el visto bueno a Seignobos, porque, por no precisar, no nombra al virrey. Pero es igualmente erróneo. El 21 de septiembre salió de México a las órdenes de O'Donoju, y el mismo día entró Iturbide en la ciudad.

¿Es pues, la nueva guarnición, la de los independentistas, la que depone al virrey? No, O'Donoju no fue depuesto ni antes ni después de la toma de México por los independentistas. Decididamente, esta historia es demasiado engañosa para un escritor de rígida metafísica y dogmas imperativos. Pero la verdad nos obliga a decir que el *virrey* o *jefe político superior* no podía ser defenestrado por los oficiales y soldados de la independencia, por una razón capital: estaba con ellos en su campo, no sólo en pensamiento, sino realmente en *carne y hueso,* y había acompañado a Iturbide en su marcha hacia México. Comprendiendo que el movimiento era irresistible, O'Donoju había querido, por lo menos, conservar un trono a la Casa de España. Por un tratado firmado en Córdoba, 24 de agosto de 1821, con Iturbide, se había adherido al *Plan de Iguala,* esto es, había reconocido la independencia de México, a reserva de algunas modificaciones de detalle y de la sustitución del archiduque Carlos de Austria por el príncipe heredero de Luques, sobrino de Fernando VII, en la lista de candidatos al trono mexicano. El tratado de Córdoba no fue ratificado por el Gobierno español (9).

En fin, el *Acta de la Independencia del Imperio Mexicano,* que confirma el *Plan de Iguala* y el *Tratado de Córdoba,* es la obra de la junta de gobierno formada y presidida por Iturbide (28 de septiembre de 1821) y no de un Congreso que entonces no existía. El Congreso no se reunió sino a principios del año siguiente.

* * *

En nuestras universidades se enseña que en 1822 Iturbide se *proclamó emperador de México* con el nombre de Agustín I, después

---

(9) O'Donoju murió de enfermedad algunos días después de la entrada en México. En España se le acusó de traición. Se dice, por otra parte, que llevaba instrucciones secretas del rey y que no hizo más que cumplirlas. En este caso la política personal de Fernando VII, igual a la de Juan VI de Portugal, habría sido la de conservar en su familia la Corona de México. Pero no existen documentos que permitan resolver este problema histórico. (Nota de Marius André, autor de la obra cuya secuencia transcribimos.)

de haberse malquistado con el Congreso y haber causado la sublevación del pueblo, y que, al año siguiente, le hizo abdicar una revolución castrense.

Un general no se *proclama* él solo emperador; estas dos palabras se ponen para evitarse el escribir que Iturbide fue elevado al trono por el entusiasmo popular, lo cual sería conforme a la verdad, pero contrario al mito revolucionario. La elección fue hecha por el Congreso, con el cual no se había malquistado. Existieron algunos roces con él, pero únicamente más tarde, después de su elección, encontró en él una oposición cada vez más fuerte y acabó por disolverlo.

La rápida caída del emperador tuvo otras causas diferentes de una sencilla sublevación militar, de la cual son motivos:

> *1.º Insurrectos de los del principio, como* Guerrero *y* Victoria *que disponían de soldados fieles, se habían unido a* Iturbide *con laudable abnegación patriótica. Habiéndose adherido al* Plan de Iguala, *habían aceptado por soberano a un príncipe de Borbón, pero no se habían sometido al mando de* Iturbide *para hacer a éste emperador. Por consiguiente, habían salido engañados. El desencanto era tanto mayor cuanto que* Iturbide *había sido desconsiderado con la mayor parte de los antiguos oficiales, llegando hasta negarse a admitirlos en sus tropas con los grados por ellos conquistados antes de 1821 en un ejército que no había sido el de* Iturbide. *En cuanto éste fue elegido emperador, empezaron a conspirar contra él.*
>
> *2.º Los generales se preguntan:* ¿por qué él y no yo? *Los unos habían sido sus compañeros, los otros los superiores del soberano. No pudiendo ceñir la corona, hácense republicanos y convierten a su causa a las tropas.*
>
> *3.º* Iturbide *comete torpezas, especialmente con el Congreso que se le resiste. Por otra parte, el nuevo emperador, embriagado por triunfos fáciles, crea una verdadera corte que él desea igualar a las más suntuosas de Europa; se entrega a locos dispendios incompatibles con el mísero estado del tesoro público; esta ostenta-*

ción lujosa, esta prodigalidad, son explotadas para suscitar la hostilidad del pueblo.

4.º *Los realistas borbónicos, que ven perdidas irremisiblemente las esperanzas fundadas en el* Plan de Iguala, *pregúntanse si una buena república no sería preferible a un imperio de semejante origen y que tiene todos los inconvenientes de la monarquía unidos a los del régimen republicano.*

5.º *Una vez efectuada la emancipación, la francmasonería, que había querido impedirla, trabaja para recoger los frutos de ella y apoderarse del Gobierno. Actúa con grandísima habilidad, agrupa todos los descontentos, muchos de los cuales ignoran de dónde emanan realmente las órdenes y las sugestiones.*

En muchos puntos del territorio estallan rebeliones al unísono. La guerra recomienza. Antes había sido guerra entre mexicanos y partidarios de la dominación española y mexicanos independentistas; en 1822 lo fue entre imperialistas y republicanos. La causa republicana progresa por las razones que acabamos de exponer y, tras un breve período de trastornos y combates, Iturbide es obligado a abdicar (19 de marzo de 1823).

Su caída era fatal de necesidad. Al aceptar la corona había cometido una falta grave que costó cara al país, y él no podía ignorarlo; él que, en el preámbulo del *Plan de Iguala,* había escrito que convenía elegir un soberano en una casa reinante y de preferencia en la de Borbón, *a fin* —decía— *de encontrarnos ya un monarca hecho y evitar los funestos atentados de la ambición.*

Si entre 1811 y 1821 se hubiera encontrado en México un príncipe borbónico en una situación algo parecida a la de Pedro de Braganza en Río de Janeiro, habría sido elevado seguramente al trono; México habría pasado idéntica revolución que Brasil y se habrían evitado las desgracias que han pesado sobre él durante un siglo. Estas desgracias las preveían, las temían los patriotas, comprendiendo entre éstos a numerosos republicanos; el mismo Iturbide las había previsto y temido cuando en el manifiesto que acompaña al *Plan de Iguala* escribió: *¡Cuántas razones se podrían exponer contra la repú-*

blica soñada por los mexicanos, y en qué error están quienes comparan lo que se llamaba la Nueva España con los Estados Unidos de América! Las desgracias y el tiempo dirán a mis compatriotas lo que les falta. ¡Ojalá que me equivoque!

* * *

Es el principio de la gran anarquía mexicana, interrumpida, en la última parte del siglo XIX y principios del XX, por la dictadura de Porfirio Díaz, pero que de nuevo envuelve a México en sangre y fuego hacia 1910, el mismo año que celebra el centenario del bandido de Dolores, del padre de la anarquía sangrienta transformado en padre de la patria.

Los Estados Unidos van a inmiscuirse cada vez más, ora directamente, ora de una manera oculta, en los asuntos de la nueva República. Sus miras sobre México son, por otra parte, anteriores a la caída de Iturbide. Numerosos son los documentos oficiales norteamericanos, mexicanos y españoles, demostrativos de que desde los primeros años del siglo XIX el Gobierno de Washington poseía todo un plan de expansión, cuya puesta en práctica ha proseguido con paciencia, habilidad y tenacidad durante cien años. Así, el ministro de España Luis de Onís escribe desde Filadelfia, el 14 de febrero de 1812, al virrey de México, el resumen de una entrevista, que ha llegado a su conocimiento, entre el secretario de Estado, Monroe, y el jefe insurrecto mexicano Bernardo Gutiérrez de Lara, que había ido a solicitar el apoyo del Gobierno estadounidense para la causa de la independencia:

> *«Monroe le dijo que el Gobierno de los Estados Unidos apoyaría con todas sus fuerzas la revolución de las provincias mexicanas y que, a este efecto, la sostendría no solamente con armas y municiones, sino también con 27.000 hombres de buenas tropas que tendrían dispuestas; pero que el coronel Bernardo y los otros jefes revolucionarios debían procurar establecer una buena Constitución para asegurar la felicidad de sus compatriotas. A este propósito, Monroe alabó mucho la de los Estados Unidos, y le dio a entender que el Gobierno norteamericano deseaba que en México fuese adoptada la misma Constitución;*

añadió que entonces México sería admitido en la Confederación, la cual, con la anexión de otras provincias norteamericanas, formaría la potencia más formidable del mundo. El coronel Bernardo, que hasta entonces había escuchado al secretario de Estado con bastante serenidad, se levantó furioso de su silla y salió irritado por aquella insinuación insultante.

Poco después, por carta del 1 de abril de 1812, Luis de Onís pone en conocimiento del mismo virrey un plan concebido por el Gobierno de Washington con objeto de anexionar a los Estados Unidos cerca de la mitad del territorio mexicano. Este plan fue puesto en ejecución, punto por punto, por la guerra del año 1847.

Las luchas intestinas que ensangrientan los primeros años de la República mexicana son originadas por la rivalidad de dos logias masónicas que representan dos sistemas de gobierno, ambos republicanos pero enemigos. La logia que tanto había contribuido a la caída de Iturbide era de rito escocés; profesaba el respeto de la propiedad y de las personas, quería establecer en México un régimen de libertad y de moderación, aristocrático en cierta medida, y realizar con prudencia las reformas intentadas por las Cortes Españolas. Como, después de la proclamación de la República, se abstuvo de hacer la guerra a la religión, tomando bajo su patrocinio a los propietarios españoles contra los que los demagogos reclamaban leyes de excepción y de persecución, no es de maravillar que todos los hombres se agruparan en torno a ella. Se formó un partido que se denominaba *escocés*. Éste, cambiando algunas veces de medios para llenar el mismo objeto y aprovechando las experiencias del pasado en medio de las vicisitudes de las revoluciones, llegó gradualmente a ser, a mediados del siglo XIX, el partido conservador, pero libre de toda organización masónica.

* * *

Después de su abdicación, Iturbide sale para Europa. Vuelve a México en junio de 1824 para intentar adueñarse nuevamente del poder, pero es hecho prisionero, condenado a muerte y fusilado el 19 de julio de 1824. El 4 de octubre del mismo año, el Congreso proclama la República; uno de los jefes de la insurrección es elegido presidente: Guadalupe Victoria. Se vota una Constitución copiada de la de los Estados Unidos.

* * *

Al partido *escocés* que, en suma, no dejó nunca de ser nacional, se opone el *yorkino,* que sufre influencias extranjeras y que frecuentemente está al servicio de esos intereses foráneos. En 1825, R. Joel Poinset, ministro de los Estados Unidos en México, crea en la capital, y después en otras ciudades, con el apoyo del presidente Victoria, logias del rito de York, proponderante en Norteamérica. Su finalidad probada es echar del poder a los escoceses, esto es, a los conservadores. Los *yorkinos* no tardan en hacerse populares recurriendo a los medios de la puja demagógica que generalmente dan buen resultado en los períodos de trastornos. Los escoceses pierden su influencia y tratan en vano de reconquistarla por una reacción armada en 1828.

En este mismo año, un joven oficial inglés que había sido ayudante de Bolívar y fue más tarde ministro plenipotenciario de Inglaterra, Bedford H. Wilson, visitaba la América del Norte y escribía a su antiguo jefe cartas que son un cuadro sorprendente de observaciones exactas, de sentido político, y donde, a veces, se encuentran visiones proféticas sobre un porvenir entonces muy lejano y que es, hoy, el presente. Por ejemplo, el 21 de diciembre, escribe:

> «*Una facción, la más inicua, denominada* los yorkinos, *dispone a su antojo de las propiedades, de la vida y de la reputación de los ciudadanos. Los escoceses, los realistas y las gentes de bien, les han dejado el campo libre, se han retirado a sus casas o se han desterrado voluntariamente. El general* Victoria *es en sus manos un juguete; el miedo le hace obedecer como un niño a su tutor. Cuando intenta desembarazarse de esta tutela, un artículo en el* Correo *le obliga a pedir perdón. Él mismo es el espía de su propio gabinete, cuyos secretos más sagrados revela a* Poinset *y por éste el Gran Consistorio que dirige las ochenta logias diseminadas por todo el territorio. Sacrifica a su odio sus ministros, sus*

> *amigos y los pocos partidarios que tiene. Es el hombre más imbécil, más pérfido y más corrompido que existe...»* (10).

Los rasgos del cuadro de México trazado en 1828 por Bedford H. Wilson caracterizan los de la anarquía india suscitada por Hidalgo en 1810; se podría aplicar así mismo a los años que han seguido después hasta la dictadura de Porfirio Díaz.

La obra de los patriotas de 1821, del clero, de la nobleza, de la burguesía, de las gentes honradas del pueblo que han realizado la unión sobre los principios de orden y fraternidad, dentro de la ortodoxia católica, que han hecho efectiva y sin derramar sangre una independencia deseada por todos, esta obra ha sido demolida.

De ella no queda sino la libertad, pero la libertad teórica y algunas otras palabras abstractas contradichas por los hechos. A partir de 1825 se gobierna, o se intenta gobernar, apoyándose sobre principios opuestos a los de los libertadores de 1821 y que llevan en sí —toda la historia de México lo prueba— gérmenes de ruina, disolución y muerte.

Como se dice en los textos finales de la *Presentación* de esta biografía, cabe admitir —hasta cierto punto— que una de las obras que con mayor claridad, concisión y autoridad de citas presenta con su verdadero valor la figura de Iturbide, es la de Marius André (de la que acabamos de transcribir el Capítulo V: *La anarquía sangrienta y la reacción católica en México*). Nosotros, como profesionales, no nos hemos limitado a trasladar a ustedes el susodicho capítulo, sino que hemos leído con escrupulosa atención la totalidad del libro, y después de hacerlo es imposible, *totalmente imposible,* estar de acuerdo con muchos de los postulados, opiniones y temerarios juicios que vierte André a lo largo y ancho de su trabajo.

No nos sentimos llamados a la polémica ni a entablar controversia con este autor (entre otras razones, la más importante sin duda,

---

(10) *Correspondencia de extranjeros notables con el Libertador* (Edición de la Biblioteca Ayacucho). Tomo I, pág. 108. (Nota de Marius André, autor de la obra cuya secuencia transcribimos.)

porque su óbito se produjo en 1927, hecho que nos merece el lógico respeto pero que no alterará un ápice la honradez y veracidad de nuestros comentarios, ya que entendemos que la muerte, en sí misma, no mejora ni empeora nada, no hace bueno ni malo a nadie, ya que a las personas se las juzga por su trayectoria humana, simplemente por sus actuaciones terrenas), pues consideramos que ésa no es la misión que nos ha traído aquí, pero sí creemos que algunos fragmentos deben puntualizarse con honesta concreción, aunque sólo sea por aquello de la *ética profesional.*

Monsieur André trata a ciertos historiadores (Jallifier, Vast y Hubbard, entre otros) con una acritud rayana en el desprecio, tachándoles de embusteros, iletrados, carentes de realidad informativa, como si sólo él estuviera en posesión de la auténtica verdad histórica, e incluso por encima del bien y del mal. Dicha actitud se nos antoja deleznable porque un profesional no puede establecer sobre sus compañeros juicios tan agresivos ni sentencias tan insultantes, máxime cuando André no es tampoco ningún modelo de ortodoxia documental, ya que en su obra pueden detectarse algunos errores. Está claro que ni la prudencia, ni la modestia, ni la elegancia, ni el *savoir-faire* que dicen sus compatriotas, eran virtudes atesoradas por el literato francés.

En el colmo del fanatismo por una parte y el absolutismo intolerante por otra, André (que no conoce límites ni fronteras a su ególatra prepotencia) se atreve a distinguir dentro del ámbito clerical entre *curas buenos* (sobre todo obispos, cardenales y autoridades eclesiásticas de elite) y *curas malos* (especialmente Hidalgo y Morelos). De Miguel Hidalgo dice, entre otras muchas barbaridades, *que era uno de esos sacerdotes malos,* perversos, que incitaba al saqueo y los crímenes, situándolo junto a una mujer que asegura literalmente que es *su querida;* cierto, en parte, que Hidalgo no dio motivos para que se le siguiera un proceso de beatificación, que no fue un ejemplo de clérigo, y cabe admitir que su extraño sentido del patriotismo fundido en el crisol de las ambiciones personales le llevara a cometer más de un desmán... Pero con todo y con eso, Hidalgo no abrió ningún capítulo nuevo en la historia de la Iglesia católica, historia nigérrima plagada de sombras tan aterradoras como grotescas, tan impías como crueles, tan sórdidas como sangrientas. Por lo visto, *monsieur* André, reverente al máximo frente a los figurones de hábito escarlata, no tuvo tiempo de leer esa historia oscurecida por negros nubarrones a la que acabamos de aludir, lo cual le llevaba a ignorar la existencia del Pontífice Alejandro VI (Rodrigo Borgia), sanguinario donde los hubiera, por cuyo lecho concupiscente, de lúbricas e incestuosas sábanas, se llegó a decir que había desfilado Lucrecia, su propia hija. Está claro que por su flagrante desconocimiento e ignorancia acerca del devenir de la Iglesia, tampoco pudo Marius André obtener información correcta sobre un tal Tomás de Torquemada, dominico elevado al rango de *Primer Inquisidor General* de la Corona de Castillla y Aragón, que, tras rodearse de asotanados sicarios tan crueles como él, encarcelaba a muchachas jóvenes de encantos exuberantes que despertaban los instintos carnales de aquella pléyade de siniestros inquisidores, amenazándolas con llevarlas a la pira por brujas si no cedían al apetito de su libídine, aceptando ellas el sacrificio lujurioso para preservar su vida, ignorantes de que serían enviadas igualmente al fuego purificador para que así no pudieran decir a nadie la humillación de que habían sido víctimas; un Tomás de Torquemada, tan celoso cumplidor de su *ígneo apostolado,* que tuvo que ser frenado y destituido por la propia autoridad pontificia. Podríamos seguir aportando túrbidas certidumbres de la *pureza y santidad* del clero frente al que Marius se prosternaba porque, claro, dos curas malévolos y pérfidos como Hidalgo y Morelos, en abierta rebeldía contra la autoridad eclesiástica, no podían mancillar en modo alguno la inmaculada e impoluta trayectoria (como evidencian los ejemplos apuntados) de la Iglesia católica, a la que *monsieur* André nos presenta, además, en el colmo del absurdo superlativo de la exégesis, cual paradigma del independentismo y la democracia, obviando ladinamente la secular y tradicional actitud de la Santa Madre, empecinada, desde sus inicios, en coartar las libertades humanas (y manipular el libre albedrío) a base de coacciones restrictivas sobre el pecado y los castigos del infierno, obcecada en ver a Satanás buceando de continuo en el océano del sexo (fornicio que esclaviza a los humanos y que se penaliza con las llamas eternas del averno), concebido única y exclusivamente para honrar el *creced y multiplicaos* y la perpetuación de la especie, pero nunca para el placer y menos para el éxtasis orgásmico, dado el alto rango de pecado mortal que la Iglesia, y *monsieur* André por supuesto, otorgan a las satisfacciones carnales (salvo cuando deleita a los miembros de aquélla). Marius André tampoco llegó a plantearse jamás el hecho evidente de que la Iglesia, *su Iglesia,* llevaba siglos, muchos siglos, insultando la inteligencia del hombre.

Su odio visceral, intolerante y reaccionario hacia la francmasonería, es tan manifiesto e incontrolado, que llega al atrevimiento (en el colmo de la estulticia y la vulgaridad histórico-literaria) de culpabilizarla de todos los males de México, y también de otros países latinoamericanos, negando flagrantes realidades como lo son el hecho de que Benito Juárez, auténtico artífice de las libertades y democracia mexicanas, político honrado y patriota como el que más, perteneció al movimiento masónico, lo mismo que Francisco Bolognesi (héroe nacional de Perú), Anastasio Bustamante (presidente de México), Plutarco Elías Calles (otro presidente mexicano), Narciso Campero (presidente de Bolivia), José María del Castillo y Rada (abogado, ministro y ex presidente colombiano del siglo XIX), Simón Bolívar (héroe de la independencia en Hispanoamérica), José Fernández de Madrid (médico y héroe de la independencia venezolana, vicepresidente en 1814) y un centenar más que se podrían citar. Un historiador, un hombre de letras, que cegado por una intransigencia que hoy podría calificarse de fascistoide, pretende ignorar verdades tan incuestionables, se descalifica a sí mismo a la hora de escribir pasajes históricos atendiendo al más elemental código de la ética y la más exigible de las objetividades.

André demuestra también, en algunas secuencias de su trayectoria literaria, estar poco impuesto, o nada impuesto, por lo que a la historia de España se refiere.

No queremos extendernos más ni seguir ahondando en la crítica que precisamente censuramos en Marius André, ni en la controversia, pues ya hemos dicho unos párrafos atrás que nuestra misión no es ésa, pero tampoco podíamos quedar impasibles y mudos frente a las vergonzantes carencias del autor francés, ni ante sus malintencionados e insultantes comentarios, ni frente a su reaccionaria subjetividad.

Admitimos, pues, y ya se ha dicho, un alto grado de acierto en cuanto al rigor histórico con que trata a Agustín de Iturbide, pero discrepamos en todo lo manifestado y sobre lo cual hemos creído de justicia opinar (11 y 12).

---

(11) Queremos dejar constancia, por considerarlo muy importante, que conocemos al dedillo la biografía y bibliografía (como se evidencia en uno de los recuadros que ilustran estas páginas) de Marius André, que hemos leído varias de sus obras y que algunas de ellas nos han movido a la admiración, hecho éste que no tiene nada que ver, absolutamente nada, con los criterios vertidos acerca de determinadas actitudes del literato francés, en los que nos ratificamos. El libro del que se ha extraído el Capítulo V para transcribirlo con puntos y comas en el apartado *Paréntesis* del trabajo que estamos realizando sobre Iturbide, *La fin de l'Empire espagnol d'Amérique,* fue publicado en París, 1922, por la *Nouvelle Librairie Nationale,* mas no hemos tenido acceso a ejemplar alguno de esa edición, pero sí a uno de la publicada en España (ya explicamos cómo en el *Paréntesis*) en 1939, con autorización de la *Editorial Araluce* de Barcelona, prologado por E. Vegas Latapie y traducido por José Pérez Hervás. A título orientativo al lector, y como una prueba más de la justicia y contundencia de nuestros juicios anteriores, reflejaremos textualmente lo escrito en la última página del ejemplar de esa edición española; dice así:

ESTE LIBRO SE ACABÓ DE IMPRIMIR EL DÍA 7 DE MARZO DE 1939, FESTIVIDAD DE SANTO TOMÁS DE AQUINO, *EN VÍSPERAS DEL TÉRMINO VICTORIOSO DE LA CRUZADA NACIONAL EMPRENDIDA POR ESPAÑA CONTRA LA REVOLUCIÓN ATEA Y COMUNISTA. LAUS DEO.*

El régimen dictatorial que a partir de aquel 1939 (perpetuado a lo largo de casi cuarenta años) implantaría en España el general Franco jamás hubiera permitido, y menos en sus inicios, publicar ni una sola coma, manuscrita y mecanografiada por un autor cuya ideología no fuera afín al *nacionalcatolicismo-franco-fascista* de los llamados «invictos», «nacionales», «cruzados»... Suponemos que es más que suficiente para probar, con absoluta claridad, cuál era el pensamiento *político-católico* de *monsieur* André.

(12) Marius André nació el 5 de junio de 1868 en el seno de una familia de comerciantes de paños en *Ste. Cécile-les-Vignes,* una pequeña localidad situada en la ruta de Orange a Valreas, entre Sérignan y Visa. Asistió a clases en el Liceo de Aviñón. A la edad de diecisiete años, siendo alumno de retórica, le envió sus primeros versos en provenzal a Fréderic Mistral, quien le respondió con una carta paternal, llena de ánimos y felicitaciones acompañadas de consejos y de las correcciones de algunas de las deficiencias lingüísticas deslizadas en sus textos por André. Concluyó sus estudios y siguió escribiendo en provenzal. En 1888 vio publicadas por

OBRA DE MARIUS ANDRÉ

— *Plòu e souleio.* Aviñón: Roumanille, 1890.
— *La Glòri d'Esclarmoundo.* Aviñón: Roumanille, 1894.
— *Montserrat.* París: Savine, 1896.
— *Guide psychologique du français à l'étranger.* París: Nouvelle Librairie Nationale, 1917.
— *La fin de l'Empire espagnol d'Amérique.* París: Nouvelle Librairie Nationale, 1922.
— *Bolivar et la democratie.* París: Edit. Excelsior, 1924.
— *Emé d'arange un cargament...* París: Edit. du Cadran, 1924.
— *Césarisme et democratie.* París: Edit. de la Revue de l'Amérique Latine [s.a].
— *Entretiens avec le General Mangin sur l'Amérique.* París: Pierre Roger, 1926.
— *La véridique aventure de Christophe Colomb.* París: Plon, 1927.
— *Vie harmonieuse de Mistral.* París: Plon, 1928.
— *Cantares.* París: Editorial Le Livre Libre, 1930.

---

primera vez sus poesías y en 1890, bajo el seudónimo de Paul Arène, se le publica una recopilación titulada *Plòu e souelio.* A partir de este instante, se le editaron no sólo creaciones propias, sino también traducciones de autores extranjeros y, como historiador de las repúblicas iberoamericanas, escribió numerosos estudios sobre esa temática, procurando dar lo que él *consideraba la versión correcta* (sic) de cuanto sucedió a lo largo de la civilización colonialista. Como cónsul francés, residió más de diez años en España, distinguiéndose por su actividad hispanista, ejerciendo una cierta influencia en Cataluña, donde colaboró con *La Veu de Catalunya.* Escribió *La Catalogne et les germanophiles,* texto bilingüe francés-catalán, en el cual criticaba (para variar) a Eugenio d'Ors, escritor barcelonés que recibió el laurel de doctor *honoris causa* en diversos países, que fue miembro de la Academia de la Lengua Española, catedrático de Ciencias de la Cultura en la Universidad de Madrid y secretario perpetuo del Instituto de España, habiendo dirigido, además, entre 1918 y 1920, el departamento de Instrucción Pública de la Mancomunidad de Cataluña. Pero, como podemos comprobar una vez más, André se atrevía con todo y con todos. Su óbito se produjo en París el año 1927. (Notas del autor de la presente biografía.)

Capítulo referencial

— Texto íntegro del «Plan de Iguala» —
(Eje de la dinámica militar y política de Agustín de Iturbide)

CARTA OFICIAL DIRIGIDA DESDE IGUALA POR EL JEFE DEL EJÉRCITO TRIGARANTE AL VIRREY DE NUEVA ESPAÑA

Excmo. Sr.: Qué feliz es el hombre que puede evitar la desgracia de otro hombre y hacer su fortuna. ¡Oh! y cuánto más venturoso el que puede evitar males y establecer la felicidad, no ya de otro hombre, sino de un reino entero. Afortunadamente V. E. se halla en este caso con el de Nueva España.

La noche del 15 al 16 de septiembre de 1810 se dio el grito de independencia entre las sombras del horror, con un sistema (si así puede llamarse) cruel, bárbaro, sanguinario, grosero e injusto por consecuencia; y, a pesar de que el modo no podía ser más contrario al genio moderado y dulce de los americanos, aún subsisten sus efectos en el año de 1821. ¿Qué es subsistir? Hoy vemos reanimar de un modo bien notable, y con llama más viva, el mismo fuego. Verdad que, no pudiendo ser desconocida a esa superioridad, convence sin equivocación el generalizado y uniforme voto de los habitantes todos de esta América. Nadie puede dudarlo.

Yo mismo he tenido la suerte de evitar hace pocos días un rompimiento desastroso, que iba a suceder en provincia bien distante;

¿qué importa esto, yo no puedo lisonjearme de que corto el mal? ¡Cuántos otros planes, Sr. Excmo., se estarán formando hoy en Oaxaca, en Puebla, en Valladolid, en Querétaro, en Guadalajara, en San Luis Potosí..., en la misma capital, alrededor de V. E., tal vez dentro de su misma habitación! ¿Y habrá quien pueda deshacer la opinión de un reino entero? Bien ha probado la experiencia de todos los siglos, y con ejemplo muy reciente nuestra Península española, el axioma de que es libre aquel país que quiere serlo. No nos engañemos, Sr. Excmo.: la Nueva España quiere ser independiente: esto nadie lo duda, le conviene. La misma madre patria le ha enseñado el camino, le ha franqueado la puerta, y es preciso que lo sea. Por lo menos no dejará de comprenderlo, y en el día, de manera muy diversa, con otra ilustración, con otros recursos, con otro séquito que el del año 1810.

Evite V. E., pues está en su mano, la horrorosa catástrofe que amenaza. Haga inmortal su nombre y, lo que es más, contraiga V. E. al propio tiempo un verdadero mérito ante el Supremo Ser, que recompensa con la vida eterna un solo jarro de agua que se da en su nombre bendito, fijando en este suelo, cuya crisis se acerca, nuestra religión santa; cerrando a la impiedad las puertas en que vemos se agolpa bajo diferentísimos disfraces, antes que se difunda con más velocidad que el fuego eléctrico por la vasta extensión de estas provincias.

El remedio es de jerarquía; pero la enfermedad aguda así lo exige, y es preciso que el médico obre en armonía con la constitución del enfermo y se acerque a contentar en lo posible sus deseos y afecciones: entremos en materia.

Yo haría un notorio agravio a V. E., a su piedad cristiana y a su ilustración, si tratase de convencer la necesidad de separar la América Septentrional para conservar nuestra sagrada religión; porque los enemigos que la amagan son muy conocidos; y en cuanto a la conveniencia política, nadie duda que es violento se mendigue de otro la fortuna por aquel que dentro de su misma casa tiene los recursos necesarios para lograrla, Asentado, pues, por principio, que es necesaria la separación de estos dominios para conservar ilesa nuestra religión, porque la luz misma priva de la vista al que careciendo de ella por mucho tiempo de improviso le hiere la pupila, y de que la independencia es útil a la Nueva España, o que por lo menos todos sus habitantes así lo creen, pasemos a examinar si la senda es llana o impracticable. Más claro: examinemos los síntomas del enfermo.

El más funesto, sin duda, es la complicación en que hemos visto sus humores: que los ácidos desocupando el vientre donde contribuyen a la robustez del cuerpo han atacado el corazón y el cerebro. Tal es el espíritu de partido; la rivalidad de europeos y americanos, que debiendo haberse presentado sólo con una emulación obvia en el centro de la sociedad para disputarse unos a otros la práctica de las acciones nobles, de virtud, útiles y generosas, es la que, degenerando y saliendo de la esfera que le señaló el sabio autor de la naturaleza, nos ha tenido mas de diez años al borde del precipicio e impeliéndonos a la ruina y al exterminio. Cortemos de raíz el mal: hagamos ocupar a aquellos ácidos el lugar que les corresponde. Allí contribuirán a la acción para que son destinados, y tornará en bien, en salud, el mal que de otro modo sólo podría producir. *La Unión*, Sr. Excmo., es el ataque directo y seguro al mal: veamos el modo de aplicarlo.

Es axioma sabidísimo que los contrarios con los contrarios se curan: la desconfianza, con estímulos de confianza; el odio, con pruebas de amor; la desunión, con lazos de fraternidad.

Nada ha estado más en el orden natural que el que los europeos desconfíen de los americanos; porque éstos, o por lo menos algunos, tomando el nombre general, sin razón, sin justicia, bárbaramente en todos sentidos, atentaron contra sus vidas, contra su fortuna, envolviendo, ¡qué horror!, a sus mujeres e hijos en tal ruina; pero por fortuna es igualmente cierto que los americanos, y la parte más noble de ellos, sin duda han sido los que justamente indignados contra un proceder tirano e impolítico quisieron abandonar y abandonaron en efecto con gusto su comodidad, sus intereses, las delicias de sus familias, y expusieron su propia vida a veces sin cuento, por salvar las de sus padres los europeos, por que éstos gozasen tranquilos de los placeres que sus esposas amantes les presentaban, de los halagos de sus hijos, y que se ocupasen sólo en el giro de sus negocios. ¿No es cierto? Sí, lo es por fortuna, repito: es un hecho innegable, ¿Y no serán bastante para infundir confianza estos recuerdos? Deben bastar, y yo que me glorío de no haber vacilado un solo instante, de haberme decidido por la justicia y por la razón desde un principio, atreviéndome a salir garante del nuevo sistema, creo ya destruida con lo expuesto la desconfianza, y curado, por tanto, el primer indicante de nuestro mal. Pasemos a la segunda afección.

El odio.—Éste nunca ha sido, es, ni puede ser justo. El Creador nos pone por precepto necesario, para salvarnos, el amor a nuestros enemigos. No hay autoridad comparable con ésta para que desaparezca de entre nosotros; pero si por tal razón suficientísima debe desaparecer entre europeos y americanos, ¿cuánto más fácil no nos es este precepto, observando que las razones políticas y las virtudes morales nos persuaden y estimulan a ello? Si unos cuantos americanos sin meditación, sin ideas y metidos en el error, acaso por un plan abortado, procedieron contra una porción tan noble de nuestra sociedad, y a que debemos la ilustración con otros mil bienes y el que es mayor sobre todos, el de la creencia que profesamos, el de la santa religión, ¿no es otra porción de americanos ya que los salvó, aventurando cuanto tenían que aventurar, como he indicado antes? ¿Quiénes dieron las importantes y decisivas batallas en su época de Carrozas, Cruces, Aculco, Guanajuato, Calderón, Yuriria, Salvatierra, Valladolid, Puruarán, etc., etc.? Y ¿quiénes son los que en el feliz Gobierno de V. E. han hecho más y más, al propio intento? Si hubiera quien lo dudase, fácil me sería hacer un manifiesto histórico; pero las verdades que son conocidas por sí mismas no necesitan de pruebas... Me distraía del asunto: vuelvo a él. El recuerdo de estos hechos, ¿cómo podrá dejar de excitar en los ánimos de los europeos generosos y grandes la gratitud y de sobreponer ésta al resentimiento por las ofensas? Así lo creo, y esto deja curada la segunda afección. Pasemos a la tercera.

Desunión.—De la confianza y del amor resulta por necesidad la unión; porque si yo tengo confianza de V. E., si yo amo a V. E., ¿cómo podrán ser diversos y mucho menos opuestos sus intereses y los míos? ¿Qué importa que V. E. haya nacido en las Andalucías; Aguirrebengoa, en Vizcaya; Cortina, en las Montañas; Ágreda, en La Rioja; éste en la Mancha; aquél, en Galicia; el otro, en Castilla; Rayas, en Guanajuato; Azcárate, en México; Iturbide, en Michoacán, etcétera? Si todos vivimos en Nueva España, si los intereses de ésta son los mismos, si es un acaso despreciable en un sentido justo, liberal, que uno deba su origen a Castilla y haya nacido en Guadalajara, que otro como yo lo deba a la Navarra, y sea su cuna Valladolid de Michoacán, ¿qué hombre de razón, qué hombre de crítica, qué hombre ilustrado se ocuparía de tales accidentes, dejando la importancia del asunto? Sería hacer mucho agravio a las luces de nuestra época, a las provincias de la Península, a los de esta América y a los mismos individuos, creer por sólo un instante que entre la paja y el grano, dejando éste se hiciese elección de aquélla. Lejos de nosotros idea tan miserable y ofensiva. Los intereses de comercio, las relaciones de sangre de familia y cuanto en la Naturaleza y en la sociedad estrecha más los vínculos, obligan más a los europeos residentes en Nueva España con los americanos que con sus paisanos mismos existentes en Ultramar. Son más interesados, sí, lo repito, en la felicidad de la América que en la de la Península. Aquí disfrutan los placeres del amor conyugal. Aquí se ven reproducidos. Aquí viven... ¿Qué razones más poderosas para destruir la injusta desunión de americanos y europeos, y para estrechar los brazos entre aquellos que han recibido y han dado el ser relativamente? Debe desaparecer la desunión; nuestros intereses son unos; el lazo debe ser cordial, íntimo, firme, indisoluble.

Están demostradas en mi juicio las tres proposiciones. Resta únicamente buscar diestros facultativos que disuelvan el veneno o emboten su acción por medio del antídoto más eficaz, de la triaca más pura, y persuadiendo al enfermo al mismo tiempo la necesidad de tomarla para que éste la acepte con una buena fe y a ojo cerrado (por valerme de esta frase vulgar) y seguro en la confianza del acierto de aquéllos, por su juicio, su ciencia, su destreza, y por todas las virtudes del caso, no repare en lo fuerte de la medicina y la tome con voluntad, despreciando su color, su gusto, olfato; reflexionando que el cuerpo político y el físico tienen cierta analogía constante, y que así como a éste los amargos le suelen ser los tónicos más convenientes, los mayores estomacales, lo son también a aquél. ¿Qué cosa más desagradable que la quina para el gusto? ¿Pero qué antipútrido hay más conocido? No nos equivoquemos, conozcamos nuestros verdaderos intereses y abracémoslos sin reparar en accidentes.

V. E., los Sres. D. Miguel Bataller, Marqués de Rayas, Dr. D. Matías Monteagudo, Dr. D. Miguel Guridi y Alcocer, Lic. D. Juan José Espinosa, D. José María Fagoaga, D. Isidro Yáñez, Lic. D. Juan Francisco Azcárate y, en defecto de alguno, los Sres. D. Rafael Pereda, Lic. don Juan Martínez y D. Francisco Sánchez de Tagle, unen todas las circunstancias que pueden apetecerse en el caso, sin que puedan desconfiar ni de sus luces, ni de su honradez, ni de su firmeza de carácter los partidos respectivos que hasta hoy han sido contrarios y desde mañana deben formar una causa común, abrazar un solo interés, así como deben hacer una sola familia.

Poniéndose V. E. a la cabeza de los ocho individuos nombrados en primer lugar, y sustituyendo por defecto de alguno el que le corresponda de los tres subsecuentes, se formará una Junta gubernativa que pueda reunir, como he indicado, la opinión general y llamar velozmente a los diputados de Cortes que existan en el reino de último nombramiento y anteriores; pues ellos podrán, con una representación suficiente y con los conocimientos necesarios, promover lo que convenga para el fin que he propuesto a V. E. en el principio. Entre tanto la Junta, como depositaria de la confianza y opinión de todos, paralizará cualesquiera proyectos de las sublevaciones tumultuarias que amenazan por todas partes.

Muy grande y ardua le parecerá a V. E. mi proposición, y llena de inconvenientes; pero siendo cierto, como lo es inconcusamente, que la opinión general está decidida por la independencia, ¿qué partido más prudente queda que tomar que aquel que, conociendo un paso de necesidad, con una sabia previsión evita los escollos más funestos y trascendentales? La opinión está decidida; no puedo dejar de referírselo a V. E.: ni V. E., ni yo, ni otra persona alguna puede variarla. Ni tampoco tiene V. E. fuerza que oponerle. La tropa toda del país siente del mismo modo, y entre la europea (dígolo para la gloria suya) no tiene V. E. un cuerpo solo completo que poder oponer. Es público cómo piensan estos dignos militares. En ellos reinan las ideas filantrópicas de ilustración y liberalidad, esparcidas en nuestra Península. Casi todos están íntimamente adheridos al sistema del país. Algunos pocos buscarán el camino sólo de volver para su patria, y raro y rarísimo será, no el cuerpo, sino el individuo que por estupidez, o falta de ideas, o por capricho, tenga la resolución necesaria para intentar oposición, y ésta ciertamente sería nula... Sé demasiado, señor excelentísimo, en el particular, y así como creo que por el plan que le propongo se evitará, sin duda, la efusión de sangre, creo también que este país será feliz, y la poseería el señor don Fernando VII si se acomodase venir a México, o en su defecto alguno de los serenísimos Sres. Infantes don Carlos o don Francisco de Paula, y que de otra manera, sin entrar en cálculos de resultados, el mes de marzo próximo México será el teatro de la sangre y del horror.

Yo no soy europeo ni americano: *soy cristiano, soy hombre, soy partidario de la razón,* como el tamaño de los males que nos amenazan. Me persuado que no hay otro medio de evitarlos que el que he propuesto a V. E., y veo con sobresalto que en sus superiores manos está la pluma que debe escribir: *Religión, paz, felicidad o confusión, sangre, desolación a la América Septentrional.*

He cumplido, señor excelentísimo, con trasladar a V. E. mis sentimientos y mis ideas. Sobre V. E. vendrá la bendición o la execración de muchas generaciones. La verdad, la justicia, la sensibilidad forman mi carácter, no conozco otro idioma.

El Señor Dios de los Ejércitos, a quien pido ilumine a V. E., guarde su importante vida muchos años. Iguala, 24 de febrero de 1821. *Agustín de Iturbide.*

PLAN O INDICACIONES PARA EL GOBIERNO QUE DEBE INSTALARSE PROVISIONALMENTE CON EL OBJETO DE ASEGURAR NUESTRA SAGRADA RELIGIÓN Y ESTABLECER LA INDEPENDENCIA DEL IMPERIO MEXICANO; TENDRÁ EL TÍTULO DE JUNTA GUBERNATIVA DE LA AMÉRICA SEPTENTRIONAL, PROPUESTO POR EL SEÑOR CORONEL DON AGUSTÍN DE ITURBIDE AL EXCELENTÍSIMO SEÑOR VIRREY DE NUEVA ESPAÑA, CONDE DEL VENADITO.

1. La religión de la N. E. es y será católica, apostólica, romana, sin tolerancia de otra alguna.

2. La N. E. es independiente de la antigua y de toda otra potencia, aun de nuestro continente.

3. Su Gobierno será monarquía moderada, con arreglo a la constitución peculiar y adaptable del reino.

4. Será su emperador el Sr. D. Femando VII, y no presentándose personalmente en México dentro del término que las Cortes señalaren a prestar el juramento, serán llamados en su caso el serenísimo señor infante don Carlos, el señor don Francisco de Paula, el archiduque Carlos u otro individuo de casa reinante que estime por conveniente el Congreso.

5. Ínterin las Cortes se reúnen, habrá una Junta, que tendrá por objeto tal reunión y hacer que se cumpla con el plan en toda su extensión.

6. Dicha Junta, que se denominará gubernativa, debe componerse de los vocales que habla la carta oficial del excelentísimo señor virrey.

7. Ínterin el Sr. D. Femando VII se presenta en México y hace el juramento, gobernará la Junta a nombre de Su Majestad en virtud del juramento de fidelidad que le tiene prestado la nación, sin embargo de que se suspenderán todas las órdenes que diere, ínterin no haya prestado dicho juramento.

8. Si el Sr. D. Fernando VII no se dignare venir a México ínterin se resuelve el emperador que deba coronarse, la Junta o la Regencia mandará en nombre de la nación.

9. Este Gobierno será sostenido por el ejército de las tres garantías de que se hablará después.

10. Las Cortes resolverán la continuación de la Junta, o si debe sustituirla una regencia ínterin llega la persona que deba coronarse.

11. Las Cortes establecerán en seguida la constitución del imperio mexicano.

12. Todos los habitantes de la Nueva España, sin distinción alguna de europeos, africanos ni indios, son ciudadanos de esta monarquía, con opción a todo empleo, según su mérito y virtudes.

13. Las personas de todo ciudadano y sus propiedades serán respetadas y protegidas por el Gobierno.

14. El clero secular y regular será conservado en todos sus fueros y preeminencias.

15. La Junta cuidará de que todos los ramos del Estado queden sin alteración alguna, y todos los empleados políticos, eclesiásticos, civiles y militares en el estado mismo en que existen en el día. Sólo serán removidos los que manifiesten no entrar en el plan, sustituyendo en su lugar los que más se distingan en virtud y mérito.

16. Se formará un ejército protector que se denominará de *las tres garantías*, porque bajo su protección toma: lo primero, la conservación de la religión católica, apostólica, romana, cooperando de todos los modos que estén a su alcance para que no haya mezcla alguna de otra secta y se ataquen oportunamente los enemigos que puedan dañarla; lo segundo, la independencia, bajo el sistema manifestado; lo tercero, la unión íntima de americanos y europeos, pues garantizando bases tan fundamentales de la felicidad de N. E., antes que consentir la infracción de ellas, se sacrificará dando la vida del primero al último de sus individuos.

17. Las tropas del ejército observarán la más exacta disciplina a la letra de las Ordenanzas, y los jefes y oficialidad continuarán bajo el pie en que están hoy, es decir, en sus respectivas clases, con opción a los empleos vacantes y que vacaren por los que no quisieren

seguir sus banderas o cualquiera otra causa, y con opción a los que se consideren de necesidad o conveniencia.

18. Las tropas de dicho ejército se consideran como de línea.

19. Lo mismo sucederá con las que sigan luego este plan. Las que no lo difieran, las del anterior sistema de la independencia que se unan inmediatamente a dicho ejército, y los paisanos que intenten alistarse se considerarán como tropas de milicia nacional, y la forma de todas, para la seguridad interior y exterior del reino, la dictarán las Cortes.

20. Los empleos se concederán al verdadero mérito, a virtud de informes de los respectivos jefes y en nombre de la nación provisionalmente.

21. Ínterin las Cortes se establecen, se procederá en los delitos con total arreglo a la Constitución española.

22. En el de conspiración contra la independencia se procederá a prisión, sin pasar a otra cosa hasta que las Cortes decidan la pena al mayor de los delitos del de lesa majestad divina.

23. Se vigilará sobre los que intenten fomentar la desunión y se reputan como conspiradores contra la independencia.

24. Como las Cortes que van a instalarse han de ser constituyentes, se hace necesario que reciban los diputados los poderes bastantes para el efecto; y como a mayor abundamiento es de mucha importancia que los electores sepan que sus representantes han de ser para el Congreso de México y no de Madrid, la Junta prescribirá las reglas justas para las elecciones y señalará el tiempo necesario para ellas y para la apertura del Congreso. Ya que no puedan verificarse las elecciones en marzo, se estrechará cuanto sea posible el término. Iguala, 24 de febrero de 1821. Es copia. *Iturbide.*

PRIMER CUADERNO

— DESDE SUS PRIMEROS PASOS EN LA VIDA PÚBLICA, HASTA EL «PLAN DE IGUALA» —

NACIMIENTO y primeros pasos en la vida pública: nació Iturbide el 27 de noviembre de 1783 en Valladolid de Michoacán (13), siendo sus progenitores José Joaquín Iturbide, español, nato de Pamplona, y Josefa Aramburu, mexicana perteneciente a una antigua y regia familia del mismo Valladolid. En el nacimiento y en los instantes iniciales de la existencia de Agustín se vieron algunos de esos signos que, no por ser naturales o fruto de la casualidad, dejan de ser observados por el entorno como perspectivas premonitorias; el parto parece ser que fue laborioso y compli-

---

(13) En la ciudad de Valladolid, en primero de Octubre de mil setecientos ochenta y tres el Sr. D. Joseph de Aregui, Canónigo de esta Santa Iglesia Catedral, con mi licencia, exorcisé solemnemente, puse óleo, baptizé y puse chrisma, á un infante español que nació el día veintisiete del próximo pasado Septiembre; al cual puse por nombre: Agustín, Cosme, Damián, hijo legítimo de D. Joseph Joachín Iturbide y de D.ª María Josefa Aramburu. Abuelos paternos D. José de Iturbide y D.ª María Josefa Aregui; maternos D. Sebastián de Aramburu y D.ª Nicolasa Carrillo; fue su padrino el Reverendísimo Padre Provincial de la Provincia de San Nicolás de Tolentino de Michoacan Fray Lucas Centeno, á quien amonesté su obligación. Y para que conste lo firmé.—*Dr. Joseph Peredo.*—*Joseph de Aregui.*—(Rubricados.) (Nota del autor. Se ha respetado escrupulosamente el texto original y el castellano de la época.)

cado, y al cuarto día, cuando la ciencia médica de entonces daba por muerta a la madre y por perdido el niño, Josefa suplicó fervorosamente el auxilio e intercesión de fray Diego Baselenque (uno de los fundadores de la orden de los Agustinos en la provincia, cuyo cadáver momificado se conserva en el presbiterio de la iglesia de San Agustín en Valladolid —hoy Morelia—, a quien se adora por santo), pidiendo además que le trajeran una reliquia del beato, su capa, que se guardaba con celo y piedad suma. Quizá fuera un milagro, o no... Pero Josefa alumbró a un precioso niño sin mayores problemas ni inconvenientes.

Estudió Iturbide las primeras letras en su pueblo natal, y gramática latina en el Seminario Conciliar del mismo. Después, siendo todavía muy joven, se dedicó a cuidar los intereses de su casa, con tal acierto y aplicación, que a los quince años su padre le puso al frente de una de las mejores fincas. Pero aun así, y siguiendo la costumbre de las familias distinguidas del país, con cuyos individuos se constituían las milicias indígenas, entró a servir como alférez en el regimiento de infantería provincial de Valladolid, que por aquel entonces estaba bajo el mando del coronel conde de la Casa Real. Agustín, precoz quizá en demasiadas cosas, contrajo matrimonio a los veintidós años con Ana María Duarte, procedente como él de una familia noble y acomodada del lugar, y a las pocas fechas de haberse casado hubo de partir con su regimiento rumbo a Jalapa, para asistir a las maniobras militares que debían ejecutarse en presencia del virrey Iturrigaray, que se encontraba alojado en los aledaños de aquella villa.

Cuando Iturrigaray fue depuesto de su alto cargo en la capital de México como consecuencia de la escasa confianza que inspiraba a los europeos en los momentos en que llegaron a Nueva España noticias de lo que estaba acaeciendo en Madrid a comienzos del XIX, que tanto podían influir e influyeron en las posesiones españolas de Iberoamérica, Iturbide se hallaba en dicha capital siguiendo un pleito en aquella audiencia, y aunque se dice que desaprobó contundentemente el encarcelamiento de Iturrigaray, el apellido de Agustín apareció entonces y por primera vez en los periódicos como el de uno de tantos oficiales del país que ofrecían sus servicios al nuevo Gobierno, y después siguieron sin vacilación la bandera rojigualda contra la independencia, alzada por el cura Hidalgo en el pueblo de Dolores.

Iturrigaray y la independencia.—La caída de Godoy y la proclamación de Fernando VII y otros inesperados sucesos que se dieron cita en la metrópoli, influyeron dolorosamente en los dominios hispanos allende fronteras. Mandaba en Nueva España Iturrigaray, connivente de Godoy y, como tal, sospechoso a ojos de los mismos españoles que, aun en tan lejanas latitudes, odiaban también al criminal favorista. No se había agenciado Iturrigaray ni siquiera convencido, hasta entonces, ni a tirios ni troyanos (léase autóctonos del país e hispanos residentes en México); antes al contrario, servil siempre a las exigencias de Godoy para halagarle, favorecerle y alimentar su voracidad y de paso la suya propia, por eso, defenestrado su protector, la caída de Iturrigaray iba a ser un hecho tarde o temprano. Consciente de ello, buscó desesperadamente la cobertura de los españoles y de algunos próceres mexicanos que le habían engañado con supuestas simpatías, pensando que la entrada de las tropas napoleónicas en España harían tambalear las estructuras políticas del país, hechos que podían favorecerle si movía con acierto las cuerdas de su teatro de marionetas. Y lo pareció en principio porque, aunque en el fondo existiera un sentimiento de hostilidad hacia él, los acontecimientos que sucedían en Madrid y las nuevas que de allí llegaban alteraron momentáneamente el proceder de los criollos, ávidos de levantarse prepotentes contra el elemento peninsular, como ocurrió por aquel entonces en todas las demás posesiones americanas (y sucederá siempre en parecidas circunstancias), hallando aquéllos propicia la coyuntura para acercarse a sus fines, y se dedicaron a lisonjear al virrey en todo y más, lisonjas que se hicieron más espectaculares en torno a la esposa de éste, que dominaba de continuo en el ánimo de Iturrigaray, la cual, mecida por aquel universo de adulaciones dio pábulo a fantasías de mando y poder, que llevaron a su marido a los abismos de la perdición, como no podía ser de otra manera.

Quiso el Ayuntamiento de la capital de México gobernar el país durante el cautiverio de Fernando VII, exponiendo *que el derecho de soberanía había recaído en el pueblo, a quien dicho cuerpo representaba, y que habían de cesar todas las autoridades en su ejercicio hasta que hubieran recibido nueva investidura*; y el Virrey, al que no disgustaba la propuesta y de quien se sospechaba el estar en connivencia con sus promovedores, si bien anduvo dubitativo algunos días a causa de la resuelta actitud de la Audiencia, contraria a esta medida, resolvió finalmente constituir una Junta en la que tuvieron cabida representantes europeos y americanos, formando también parte de ella los oidores y alcaldes de las Cortes.

La susodicha Junta no dio muestras de nada, limitándose a decretar la pronta jura de Fernando VII, que se llevó a cabo el 19 de agosto de 1809; pero en cambio, si gobernaba poco por la dualidad existente en su seno de europeos y americanos, nutría las divisiones y los enconos entre criollos y españoles. Se vitoreaba a Iturrigaray, pero quienes así obraban buscaban un medio y una impunidad para insultar a los blancos, y aunque en la capital y la mayoría de provincias se recibió con entusiasmo la proclama de Fernando VII, el virrey parecía evidenciar una cierta repugnancia hacia el reconocimiento del Gobierno de la metrópoli, pretextando que, dada la multiplicidad de los poderes creados en Madrid para rechazar al invasor francés, era difícil tener conciencia exacta de cuál era el verdadero y legítimo.

En tales circunstancias, y aconsejado en todo instante por algunos naturales ávidos de novedades, o potenciales conspiradores independentistas, quiso reunir Iturrigaray un remedo de Congreso en el que estuvieran representados los pueblos del virreinato; pero la Audiencia (la mayoría de cuyos miembros montaron en cólera difícilmente contenida) y muy en especial el auditor de Guerra, Miguel Bataller, combatieron con energía tal proyecto, como encaminado a desembocar en la independencia. La ira (cosa rara en él) del virrey fue también monumental y amenazó con hacer dejación de sus poderes (eso no podía creérselo ni el mismísimo Iturrigaray), y al saber que el Real Acuerdo se disponía a admitir el amago de renuncia, los preponderantes del Ayuntamiento, que creyeron ver en ello el fracaso de su causa, consiguieron (sin excesivas dificultades) que Iturrigaray no llevara a la práctica su bravuconada, alentándole a que se echara en brazos de ellos y procediera vigorosamente contra los europeos, para lo que el virrey (que no necesitaba demasiados estímulos) dispuso reforzar la guarnición de la capital.

Había pues, sobre el antagonismo secular entre criollos y europeos, verdadera animosidad entre Iturrigaray y sus compatriotas españoles, a los que trató con flagrante desprecio, ignorando estúpidamente que sin su patriótico y activo concurso era imposible conservar aquel rico vergel engastado en la corona de España en momentos tan angustiosos y solemnes. Unos y otros despellejaban sus manos con farragosos textos epistolares dirigidos a la madre patria contra los que consideraban antagonistas, y la alicaída España, que bastante hacía dando ejemplares muestras de dignidad y entereza a la acobardada Europa, resistiendo con numantino heroísmo las acometidas napoleónicas, veía amontonarse aquellos contenciosos en las regiones de ultramar con la desesperación de la impotencia. Situación tan caótica en México era obvio que reventaría por un lado u otro: puestos de acuerdo los europeos, depusieron al virrey, y el cabecilla conspirador, Gabriel de Yermo, persona riquísima y de reconocido carisma entre los españoles, pudo evitar inútiles derramamientos de sangre, dando además una brillante prueba de patriotismo, casi excepcional tratándose de un conspirador, al no tomar parte alguna en el nuevo poder que se creaba, depositado íntegramente en manos del mariscal de campo Pedro Garibay, así como al expresar su renuncia a los premios que con posterioridad se le quisieron otorgar, sosteniendo a España, en ocasiones con grave riesgo de su integridad física y siempre con enorme perjuicio de sus propios intereses.

Cierto que el encarcelamiento de Iturrigaray era un terrible golpe al principio de autoridad, cuyo mantenimiento era tan vital como decisivo en América, pero, de no haber salido los españoles al encuentro de los propósitos que el virrey abrigaba, el Congreso se habría reunido sucediendo lo ocurrido en análogas circunstancias en Buenos Aires, Santa Fe y Caracas; el mismo Congreso hubiera depuesto al virrey que irónicamente lo había convocado, rehusando al mismo tiempo reconocer cualquier Gobierno establecido en España que no fuera el de Fernando VII, y esto sólo porque se tenía por seguro que la madre patria nunca conseguiría zafarse al poder napoleónico. Consciente o inconscientemente, si la Audiencia pretendía la unidad a toda costa de México con España, aunque se hubiera arraigado aquí la dinastía de José Bonaparte, como ocurriera durante el conflicto bélico entre austrias y borbones, Iturrigaray y los suyos, hablando mucho de Fernando VII, tendían a la independencia y procuraban la completa emancipación mexicana de la metrópoli. Una amnistía de la Regencia de Cádiz absolvió al virrey de toda culpabilidad por causa de infidencia, pero no la fama de los españoles ni el estricto y severo juicio de la historia. No salió tan bien librado de la acusación de residencia en que fue condenado por varios fraudes y gratificaciones que él o su esposa aceptaron al haber concedido cargos y gracias. Por cierto que su mujer y sus hijos, cuando se fue a cumplir la sentencia, emancipado ya México de España, pasaron a América solicitando que no se diera cumplimiento a ella, aportando los méritos contraídos por su esposo y padre al haber sido el primer promotor y valedor de la independencia. Así, aquella fémina que aceptaba de sus sirvientes el tratamiento de majestad, cuando soñaba con una corona ciñendo sus sienes, y sus hijos, que tanto aprovecharon la debilidad del patriarca por su familia, deshonraron la memoria de Iturrigaray, haciendo presumir, fundadamente desde luego, que quiso ser traidor a su patria.

Venegas.—Ni Garibay, que interina y accidentalmente desempeñó el gobierno en aquellas confusas circunstancias, débil anciano que había de ser un juguete en manos de los partidos, ni el arzobispo de México, Lezama, que por sus idiosincrasia era imposible que tuviera aquellos arranques de energía que reclamaba su cargo en tan crítico momento, ni el mando colectivo de la Audiencia, que necesariamente había de carecer de unidad en sus pensamientos y de vigor en sus actuaciones, podían impedir que sobreviniera una nueva catástrofe sobre Nueva España, ahogando los gérmenes de independencia y discordancia sembrados en la etapa Iturrigaray. Gracias que cuando el huracán amenazó con devastarlo todo y se escuchó el *grito* dado por el cura Hidalgo en Dolores, llegó a México Venegas, nombrado virrey por la Regencia de Cádiz, soldado valeroso formado en las primeras campañas de la guerra de la Independencia española, y cuyo patriotismo, impronta de aquella generación esforzada y estoica del 12, no había de retroceder frente a obstáculo alguno, ni acobardarse ante ninguna de las sangrientas vicisitudes que planteaba aquella profunda crisis.

No es excesivamente importante en la trayectoria de Iturbide el que entremos ahora en aportaciones (objetivas o subjetivas) ni establezcamos dudosos juicios de valor acerca de la actuación pseudorrevolucionaria de Hidalgo y sus *carniceros,* porque, al margen de las razones y los porqués, cualquier revolución es fecunda en toda clase de horrores y crímenes, ya que aquélla, en sí misma, pasa a convertirse en sinónimo de impunidad para quienes actúan o suponen actuar con carta blanca y patente de corso (sin olvidar la gran cantidad de intereses, contrapuestos inclusos, ambiciones y ansias de poder, que se barajan, funden y confunden en la mayoría de revoluciones), dejando en libertad sus ansias, bajas pasiones y crueldad sin límites, saqueando, robando, asesinando, violando mujeres y niñas... Muchos quisieron apartar sus ojos horrorizados de aquella hecatombe, asombrado seguramente el ánimo frente al hecho de que, una República que quiere ser protagonista como *gobierno civilizado,* reivindicara tan menguado origen cuando, al estallar el brote virulento de Dolores, no actuara con la máxima energía, sobre todo al comprobar que no hubo un solo mexicano en quien quedaran, no ya el honor y la vergüenza, sino los mínimos sentimientos para considerarse humano, que no hiciera acuerdos junto a los españoles contra los sanguinarios alienados que reclamaban brutalmente la independencia.

Nosotros de lo que sí daremos puntual cuenta por considerar que compete al trabajo que estamos realizando, aunque de forma sumaría, es de todos aquellos hechos de armas en que participó Agustín de Iturbide contra los insurgentes de su propio país y en favor de España (ello forma parte importante de la historia militar de nuestro biografiado).

Iturbide en la batalla del *Monte de las Cruces*: Pocos días bastaron al cura Hidalgo para extender su movimiento de una manera tan formidable como peligrosa. Había entrado en ciudades tan importantes como Guanajuato, capital de la provincia minera más rica de México; penetrado y dominado a sangre y fuego en Valladolid (hoy, como se ha repetido en varias ocasiones, Morelia), fundido cañones, organizado fuerzas regulares de ejército, extendido el virus de la rebelión entre las tribus indias, allegado muchedumbres inmensas de combatientes, bien que sin disciplina militar y deficientemente pertrechados. Sumidos los indígenas en el profundo fanatismo alimentado en ellos por el caudillo insurrecto (*que prometía a los vivos el* repart*imiento de bienes de los gachupines y a los muertos la gloria del cielo en nombre de la Santísima Virgen* de Guadalupe, *que proclamó* patrona de los rebeldes, *a los que hizo creer que los europeos querían entregar México al dominio del francés y que ellos batallaban por Fernando VII*), se precipitaron a millares hacia el campo de batalla protagonizando una serie de episodios sangrientos que con el paso del tiempo cubrirían de vergüenza y oprobio la historia mexicana.

Con 80.000 efectivos bajo su mando, Hidalgo, proclamado generalísimo, amenazaba la capital, tras saquear y asesinar a cuantos españoles se encontraban en las ciudades que iban cayendo bajo su poder, incluidos aquellos que se libraron sin resistencia, lo cual hacía temer que aquel sangriento y avasallador rodillo de violencia se llevara por delante cuanto se interpusiera en su camino. Venegas, el nuevo virrey, que, apenas instalado en el mando y sin apenas conocer el país, se encontraba con un conflicto de semejante magnitud entre las manos, expidió órdenes urgentes y apremiantes para improvisar una fuerza con que resistir la embestida inicial de Hidalgo y sus cruentos divisionarios, y la suerte se puso de su lado al comunicársele que el brigadier Calleja, comandante general de la brigada del Potosí, había reorganizado los mermados efectivos que tenía bajo su mando, con los cuales pudo constituirse el único y reducidísimo ejército que podía oponerse con limitadas garantías a la avalancha, tan inevitable como irresistible, que la mano del clérigo revolucionario y guerrero improvisado lanzaba ya sobre la capital mexicana. Pero Hidalgo no quiso vérselas con este reducido núcleo de fuerzas regulares y, obrando con cautela y audacia al alimón, prefirió encaminarse a la capital confiando en que, sin tiempo y sin medios el virrey de organizar una resistencia garante, podría penetrar en ella levantado de sus inmensas masas y mucho antes de que tuviera tiempo de llegar en su socorro el valeroso Calleja con su improvisada columna de operaciones. Pero había un pequeño e importante detalle que escapaba a los cálculos de Hidalgo: la españolísima entereza y encomiables dignidad y valentía de Venegas, quien destacó a un compatriota que había traído consigo, el teniente coronel Torcuato Trujillo, con algo más de mil efectivos de tropas bisoñas y abigarradas, para que detuviera la marcha de los insurgentes, escribiéndole, para infundirle su propio aliento y vigor, estas inmortales palabras:

> «*Trescientos años de triunfos y conquistas de las armas españolas en estas regiones nos contemplan; la Europa tiene sus ojos fijos sobre nosotros; el mundo entero va a juzgarnos; la España, esa cara patria por la que tanto suspiramos, tiene pendiente su destino de nuestros esfuerzos y lo espera todo de nuestro celo y decisión. Vencer o morir es nuestra divisa. Si a usted le corresponde pagar este tributo en ese punto, tendrá la gloria de haberse anticipado a mí en pocas horas en consumar tan grato holocausto; yo no podré sobrevivir a la mengua de ser vencido por gente vil y fementida.*»

Trujillo se comportó como un héroe, como un gigante, como un monstruo, que en esta ocasión dio la talla de Leónidas, defendiendo aquí un fuerte, allá el vado de un río, hostilizando siempre a las huestes contrarias, desplegando guerrillas con asombroso acierto, hasta replegar al fin todos sus hombres sobre el monte de las Cruces, que dominaba el camino hacia la capital de México, por donde venía Hidalgo. Colocó sus dos únicos cañones (mandados también por un español, Juan Bautista de Ustáriz) en posición ventajosa, y sin iniciar la acción hasta tener los rebeldes a un palmo para mejor aprovechamiento de la metralla de su exigua artillería oculta entre el ramaje, desordenó, barriendo con los primeros disparos, toda la cabeza de la columna enemiga, retrocediendo ésta sin intentar un nuevo ataque de infantería. Hidalgo hizo uso así mismo de sus cañones, al tiempo que Trujillo dispuso un movimiento por ambos flancos, atacando el derecho de los insurgentes el español Bringas con tres escasas compañías, y el izquierdo el mexicano Iturbide, que por primera vez en su vida asistía a un acto real de guerra; Agustín se condujo con inteligencia y serenidad, rechazando con su fuego al contrincante que trataba de apoderarse del monte que él debía ocupar y ocupó, bien que luego, herido Bringas en el lado opuesto y frustrado el designio de Trujillo, tuvo que replegarse.

No podían los insurrectos avanzar por el camino real, bizarramente defendido por José María de Mendívil, el jefe del regimiento de infantería *Tres Villas*, único que entró en combate, y quisieron rodear, al abrigo de los bosques y a favor de sus masas, la posición que ocupaba Trujillo; pero éste no perdió en ningún momento su serenidad, dejándoles acercar más y más, a punto que escuchaba las proposiciones de los revolucionarios que trataban de incitar sus ambiciones sugiriéndole que se pasara a ellos, y cuando los tuvo delante mandó abrir fuego, dejando sembrado el monte de cadáveres y heridos.

La acción duró hasta las cinco y media de la tarde. Trujillo tenía perdida la tercera parte de sus efectivos entre muertos y lisiados, y no quedaban a sus soldados más que cinco cartuchos por plaza. Dispuso su retirada, no sin antes desmontar la batería enemiga que más molestaba y no sin abrirse paso a punta de bayoneta para desalojar a los insurgentes que se le opusieron, siguiéndole el resto de sus efectivos en columna cerrada. Así se retiró aquel puñado de héroes, luchando durante todo el trayecto e imponiéndose a la caballería persecutora, la cual abandonó muy pronto su empeño.

Agustín de Iturbide se distinguió notoriamente en esta acción; Trujillo dijo que había cumplido con tino y honor cuanto se le encomendó, no separándose ni un solo instante de su lado en tal difícil retirada. Además, cuando Mendívil fue herido, le sacó del fuego, montándole en su caballo para llevarle consigo.

Sorpresa y fusilamiento de Albino García.—Iturbide, que desde el primer momento se puso enfrente de la insurrección de Hidalgo, rechazando los deslumbrantes ofrecimientos que el cura le hizo desde el comienzo de aquélla, asistiendo a la sangrienta confrontación del monte de las Cruces (como se acaba de narrar) y declarando a los revolucionarios una guerra sin cuartel, fue destinado a la persecución de las gavillas que se presentaron por otras latitudes mandadas por guerrilleros más peligrosos que Hidalgo, como Morelos (cura también), aunque igual de implacable que su colega en lo referente a su odio a los españoles, pero que, al revés de como obraba su compañero, sólo quería a su vera gente útil para batirse y no grandes masas sin regimentar, porque consideraba que eran más un estorbo que una ayuda a la hora de escenificar las batallas.

Iturbide se condujo no menos valientemente en su nueva función y, habiendo quedado mandando en Taxco con una parte del batallón de Tula, fue atacado por los insurgentes defendiendo la plaza con ardoroso denuedo, tras abandonar el lecho de la enfermedad para ponerse a la cabeza de su tropa. Tuvo Agustín, no obstante, que dejar este mando, porque la tierra caliente afectaba su salud y a punto estuvo de perder allí la vida, trasladándose a su localidad natal, Valladolid, como auxiliar del teniente coronel Castillo Bustamente, dando prueba de su heroísmo y valentía en todas y cada una de las acciones militares en que participó. Todavía era subalterno y aun capitán, cuando le fue confiada una comisión difícil e importante: tenía que enviarse a México la plata existente en el mineral de Guanajuato, pero corría peligro de caer en manos de Albino García, latrofaccioso de gran corazón, que hasta la fecha venía mofándose de cuantas persecuciones fuera objeto. A fin de conjurar cualquier peligro que pudiera correr el convoy, Iturbide tenía que avisar de antemano al general Cruz y al brigadier Negrete, jefes situados en distintos puntos y que operaban en las provincias de Valladolid y Querétaro. Agustín, atravesando un país infectado de partidas y guerrillas revolucionarias (en realidad no eran más que grupúsculos dedicados al bandidaje y al saqueo), partió con setenta hombres a desempeñar la comisión de servicio encomendada, y en seis días, recorriendo gran número de leguas, cumplió satisfactoria y encomiablemente su cometido.

Evacuada esta comisión, sugirió a su jefe, el coronel García Conde, la idea atrevidísima de sorprender al mismísimo Albino García, terror de la comarca entera en que operaba.

Iturbide fue el encargado de llevar a buen puerto su propia sugerencia, para lo que puso a su disposición una cincuentena de dragones de Puebla, setenta y cuatro de Frontera, diecisiete granaderos de la Corona y veinte soldados del Mixto. Debía suponer Albino que las tropas que le hostilizaban bastante trabajo tenían con dar apoyo al convoy de forma que, habiendo forzado la marcha durante la noche Iturbide con su reducida columna, alcanzó el pueblo del Valle de Santiago sobre las dos de la madrugada, donde se encontraba García, sin que ni éste ni hombre alguno bajo su mando se enteraran del arribo de las fuerzas leales. Todos dormían plácidamente, despertando sobresaltados al «arrullo» del ruido promovido por la gente de Iturbide: *¡Aquí los granaderos de la Corona! ¡Allá el batallón Mixto! ¡Que ocupen los cañones las bocacalles! ¡Listo el escuadrón de Frontera! ¡Venga acá el de Puebla!* Y los de Albino, creyéndose perdidos porque ante tal vocerío supusieron que habían de vérselas con toda la división de García Conde, trataron no obstante de refugiarse en algunos cuarteles para organizar la defensa, pero ya era tarde: la acción sorpresiva de Iturbide (que hubiera firmado cualquier militar con mucha mayor edad y experiencia que él), acababa de culminarse exitosamente. Trescientos insurgentes perdieron la vida, ya en la batalla, ya frente al pelotón de fusilamiento, todos ellos de los más bravos del Bajío, y Albino García y tres compañeros más, que Iturbide hizo prisioneros y llevó consigo, fueron posteriormente fusilados por orden de García Conde.

Los oficiales y soldados que verificaron este importantísimo *golpe sorpresa* eran todos mexicanos, por cuya razón decía Iturbide a su inmediato superior:

> «*Para hacer algo por mi parte con objeto de quitar la impresión que en algunos estúpidos y sin educación existe, de que nuestra guerra es de europeos contra americanos y viceversa, digo que en esta ocasión ha dado puntualmente la casualidad de que todos cuantos concurrieron a ella bajo mi mando han sido mexicanos, sin excepción de persona alguna, y tengo en ello cierta complacencia, porque apreciaría ver lavada por las mismas manos la mancha negra que algunos echaron a este país español, y convencer de que nuestra guerra es de* buenos a malos, *de fieles a insurgentes y de cristianos a libertinos.*»

Tal era entonces el léxico y la conducta del que, andando el tiempo, habría de convertirse en el verdadero paradigma de la independencia mexicana.

Iturbide fue ascendido por el virrey al grado de teniente coronel y cuando llegó a México con García Conde, acompañando al convoy de plata, todas las miradas se dirigieron a él, mientras la multitud le señalaba como un héroe.

Licéaga y Rayón. Iturbide en Cóporo.—Volvió Iturbide a su centro de operaciones, que era el valle de Santiago, derrotando allí al insurgente Licéaga, no con gran reputación de valiente, pero sí de emprendedor y activo, quien se retiró a la laguna de Yuriria, por considerarla un lugar seguro, fortificando de forma extraordinaria un par de islotes, uniéndolos por medio de una calzada. García Conde juzgó tan inútil como temerario el asalto a tan improvisada fortificación, cuando, de ocupar tan sólo las márgenes de la laguna, podía forzarse la rendición de los insurgentes cuando estuvieran faltos de víveres y otras vituallas elementales; pero Iturbide no atendió las lógicas y mesuradas dilaciones de su superior y en cuarenta días libró diecinueve combates, despejando de enemigos los alrededores, hasta sentar sus reales en Santiaguillo, frente a los islotes, para disponer finalmente un desembarco por medio de ocho balsas y dos canoas, protegidas a su vez por una balsa y una canoa provistas ambas de artillería ligera. Prendió fuego a un gran repuesto de pólvora con que contaban los de la laguna, sembrando en ellos el temor y el desconcierto, e Iturbide, considerando que la resistencia iba a ser escasa y fugaz, desdeñó tomar parte en la acción y, en efecto, tal como dedujera el militar, los insurgentes capitularon sin excesos, cayendo todos prisioneros o ahogándose al pretender huir a nado para escapar de la caballería que los aguardaba en las márgenes de la laguna, aludiendo a lo cual, dijo Iturbide con innecesario derroche de pedante suficiencia por su parte: *¡Miserables, ellos habrán conocido su error en aquel lugar terrible donde no podrán remediarlo!* (Agustín creía condenados a los insurrectos a todas las penas del averno como excomulgados.) *¡Quizá su triste catástrofe sirva de escarmiento a quienes todavía están en disposición de salvarse!*

No mucho más tarde se produjo otro hecho de armas donde la genialidad de Iturbide brilló de nuevo. Tenía a sus órdenes un destacamento de la Corona, el batallón mixto de infantería, el cuerpo de Frontera, un escuadrón de San Carlos, el de lanceros de Orrantía, un piquete de San Luis de caballería y una sección de artillería. Con estas fuerzas, ciertamente no muy numerosas, sitiaba a Salvatierra, ocupada por el revolucionario Ramón Rayón, el líder más caracterizado de los que estaban en armas contra el dominio español, y ciudad defendida por su posición, situada en una altura que dominaba las escarpadas márgenes de un río que corría al pie, comunicando la orilla izquierda por medio de un puente de cinco varas de ancho. El Viernes Santo, 16 de abril de 1813, se aproximó Iturbide a la ciudad por la parte del puente a practicar un inicial reconocimiento, a lo que los insurrectos respondieron con fuego provocando un repliegue del militar y sus hombres, por lo que el enemigo creyó en una fácil victoria al valorar erróneamente el retroceso de Iturbide, quien tenía aplazado el ataque para el día siguiente, pero rectificó, comunicando de inmediato instrucciones a todas sus fuerzas y, *queriendo santificar el día* —se ha dicho que era Viernes Santo—, *aprovechó la oportunidad que sus antagonistas le brindaban en bandeja de plata.* Así las cosas, cargó con virulencia sobre el puente, llevando por delante al enemigo en absoluta dispersión, de modo que se apoderó de su artillería, ocupando el lugar, al tiempo que una columna que destacó por un vado abrió fuego a discreción contra quienes se batían en retirada. Hizo grabar el alto mando una medalla de honor para todos los individuos de la clase de tropa que intervinieron en aquel glorioso hecho de armas, que llevaba la siguiente inscripción: *Venció en el puente de Salvatierra.* A Iturbide se le nombró coronel, dándole el mando del regimiento de infantería de Celaya y la comandancia general de la provincia de Guanajuato.

Agustín estableció su cuartel general en el pueblo de Irapuato, organizando en poco tiempo la defensa de los puntos principales de la provincia, obrando con su genial concepción de las estrategias militares. Se construyeron fortificaciones, se formaron cuerpos de patriotas, se buscaron recursos económicos para hacer frente a los lógicos dispendios, ahuyentándose al unísono las partidas de bandoleros (que se hacían pasar por revolucionarios) que infectaban toda el área, conduciendo con su energía habitual cuantos convoyes fueron necesarios, mostrándose tajantemente inflexible el castigo de aquellos insurgentes que cayeron en su poder. Ni el sexo débil encontró piedad en él, dando cuenta al virrey, al comunicarle la lista de fusilados, de *haberlo sido también María Tomasa Estévez, comisionada para seducir la tropa, y habría sacado mucho «fruto» de su bella figura, a no ser tan acendrado el patriotismo de estos soldados, que en la guerra, y sobre todo en regiones americanas, no hay recurso, por inmoral que sea que no se emplee, y se pierde el pudor y hasta todo sentimiento humano.*

Valiente, osado, audaz, temerario, fervoroso creyente y patriota, se había manifestado hasta entonces Iturbide, pero le faltaba acreditar su previsión y su prudencia, cualidades poco menos que imprescindibles para un buen militar como también lo eran obviamente, y ya se ha dicho, el valor y la temeridad. Unas y otras tuvo al fin ocasión de patentizarlas, al unísono, en el sitio de Cóporo. Era este punto un cerro áspero sólo accesible en su frente, el cual estaba defendido por cuatro baluartes regularmente construidos, tres baterías en los intermedios formadas con saquillos, un amplísimo foso y, como a distancia de unas cuarenta varas, una fuerte trinchera o estacada con ramajes herbáceos. En el extremo izquierdo de este frente existía una vereda apenas perceptible y apenas practicable en consecuencia. Defendían esta guarnición casi inexpugnable setecientos hombres, cuatrocientos de ellos con fusiles y los restantes artilleros o indios que debían hacer caer los peñascos en las cabezas de los asaltantes, siendo asediados por tres mil efectivos de todas armas al mando del brigadier Llanos, con quien por aquel entonces colaboraba Iturbide. Tras deliberar entre los mandos cuál podía ser la manera idónea de proceder al asalto de la fortaleza, Agustín manifestó por escrito con multitud de razonables adjetivos la imposibilidad de arremeter contra el enemigo protegido en aquel invulnerable reducto, pero que, si se tomaba la decisión de emprender tan peligrosa aventura, debía realizarse por el frente con tres columnas, a cuya cabecera se pondría él mismo, porque de esta forma creía con seguridad en el éxito, cuando de intentar el asalto por la vereda antes mencionada juzgaba inminente el desastre, porque se apelotonarían en aquel punto todos los sitiados, mucho más que si el ataque se producía frontalmente.

El brigadier Llano, decidido a iniciar la operación, hizo oídos sordos a los razonamientos y opiniones de Iturbide, y obtuvo el fracaso que éste había vaticinado, aunque Agustín, que comandaba la columna de ataque, después de salvar su responsabilidad por el desastre que preveía, no economizó precaución de astucia o arranque de heroísmo para alcanzar el triunfo. No pudieron sorprender los efectivos de Iturbide, que subían en fila india por la vereda a la guarnición de Cóporo, siendo rechazados, aunque no con las pérdidas humanas que eran de temer, pudiendo Agustín escribir en sus «Memorias» *que tuvo la suerte de salvar las cuatro quintas partes de la gente, que debían haber perecido casi todos en una acción cuyo éxito bien sabía que debía ser funesto, pero en que el pundonor militar no le permitió poner obstáculos cuando se le dio la orden para que iniciase el asalto.*

Levantado el sitio de Cóporo, Iturbide regresó nuevamente a su provincia de Guanajuato, donde habían surgido nuevas partidas de seudorrevolucionarios, situándose otra vez en Irapuato. Anhelante en todo momento de acometer empresas extraordinarias, ambicionando ya que su figura sobresaliera de entre las demás que conformaban la milicia fiel al Gobierno, una vez devuelta la calma (de forma parcial, desde luego) a su provincia, propuso confidencialmente al virrey protagonizar un golpe de efecto contra los insurgentes que diera como fruto la captura del aquel remedo de gobierno errante que nomadeaba de un lugar a otro, de bosque en bosque, según los eventos y circunstancias bélicas. El plan, como la mayoría de los propuestos por Agustín, era arriesgado, temerario incluso, pero con posibilidades. Los rebeldes se consideraban a cubierto en las posiciones que entonces ocupaban, a larga distancia de las columnas perseguidoras, y el proyecto de Iturbide se asentaba precisamente en aquella misma coyuntura, porque dividiéndose sus efectivos en pequeñas partidas (forzando la marcha y caminando por veredas casi inaccesibles) terminaran por reunirse en un punto clave a poca distancia de Ario, en donde se encontraban el Gobierno y el Congreso insurgentes, cayendo por sorpresa sobre ellos antes de que pudieran recibir aviso de la que se les venía encima; de hecho no tenían salida y, si se les «cazaba» en aquella tenaza, se les derrotaría fácilmente. El virrey dio el visto bueno a la propuesta de Iturbide, que se frustró al fin, porque al arribar al punto de la cita sobre las nueve de la noche tuvo Agustín que aguardar la llegada de algunas partidas sueltas que se habían extraviado en el curso de sus respectivos trayectos, produciéndose un retraso de hasta casi seis horas, de modo que era imposible andar las dieciocho leguas que les separaban de Ario al amanecer, por lo que hubo de aplazarse la operación para la noche siguiente; pero por muchas que fueron las precauciones tomadas, el enemigo tuvo conocimiento de la inminente llegada de las tropas de Iturbide una o dos horas antes de la calculada por el militar para caer por sorpresa sobre el lugar. Agustín apenas pudo contener la ira que le causaba semejante contrariedad y desahogó su furia cebándose con crueldad extrema en los insurrectos que cayeron presos, de los cuales ni uno solo alcanzó gracia y fueron pasados sin más por las armas.

Las peligrosas «veleidades» de Iturbide.—Es posible que Agustín fuera un fervoroso creyente, un católico convencido, un fanático religioso, pero la historia registra que no fue precisamente un santo varón. En aquel período (como en otros muchos de los que se tiene constancia escrita) y dadas las circunstancias, parece ser que fueron los reaccionarios cruzados quienes cometieron las mayores inmoralidades, los más cruentos actos de barbarie y expolio, atreviéndose a decir que lo hacían en nombre de Dios únicamente para justificarse ante sus propias conciencias, que a buen seguro debía recriminarles de continuo su vesánico proceder. Iturbide, servidor del Altísimo, según decía no quiso ser en ningún momento esa excepción que suele confirmar toda regla, de ahí que no le preocupara en exceso manchar su brillante hoja de servicios protagonizando episodios tan lamentables como vergonzosos. No cabe la menor duda de que prestó valerosa y puntual ayuda a los españoles en contra de los insurrectos, sus propios compatriotas, y tampoco la hay, como acabamos de decir, de que su historial castrense quedó salpicado de oscuras y poco notables acciones. Una de las veces que arribó a Guanajuato trajo consigo un cargamento de azogue y otros artículos mineros de primera necesidad para esa industria, los cuales vendió muy caros, y se se agrega que los mineros tenían que hacer sus pagos en pasta de plata, porque el numerario escaseaba notablemente; se comprenderá lo que este comercio fraudulento y bien organizado rentó a Iturbide, aun a costa de arruinar la industria minera en aquel bajío. El escándalo alcanzó tales cotas que las casas principales de Guanajuato y Querétaro —a pesar de que todos estaban acobardados frente al temor de que bajo cualquier sucio pretexto se les acusara de insurgentes— elevaron sus quejas al virrey, con tal insistencia, que éste, condescendiente y vulnerable en demasía con los desmanes de un jefe valeroso y utilísimo para la guerra como Iturbide, se vio obligado a suspenderle del mando, haciéndole regresar a México para que respondiera ante él de los cargos que se le imputaban.

Calleja, entonces virrey, no tenía la menor intención de inutilizar a Iturbide porque, obviamente, precisaba de sus servicios militares, hasta entonces con alto porcentaje de triunfos y efectividad. Maniatado por esta premisa y también por el hecho reconocido íntimamente de que Iturbide era santo de la devoción de Calleja, el virrey, al tiempo que solicitaba informes a las corporaciones y próceres notables de Guanajuato acerca de la conducta civil, político-militar y cristiana de Agustín, encargaba a su protegido una comisión importantísima sólo para demostrar que no había caído de su favor, de modo que la totalidad de perjudicados de la provincia —leyendo con habilidad lo que hoy llamaríamos una *señal de advertencia*— dieron informes brillantes, callaron lo que sabían, *la verdad pura* y *dura*, o se refugiaron en absurdas ambigüedades que nada aclaraban ni de nada acusaban al militar, temerosos como estaban de que Iturbide protagonizara una de sus sonadas venganzas. Sólo un sacerdote, compatriota y antiguo compañero de estudios de Agustín, sólo el cura de Guanajuato, echó el resto saltándose los miedos a la torera y expuso al virrey la realidad de los hechos, haciendo el tal Labarrieta justicia a Iturbide en lo bueno y en lo peor, de cuyo informe resultaba que, si había demostrado valor y decisión a la hora de defender la causa española, con sus tráficos, con sus exacciones, con sus crueldades y con sus hipocresías, había formado él solo más insurgentes que destruido con sus tropas, asegurando a Calleja *que, si Iturbide se fuese a España y se pusieran edictos convocando acusadores y quejas, no habría uno que no lo fuera, exceptuando sus parciales; y que si quería saber bien y de verdad aquellas cosas, no las preguntase a los tímidos y acobardados habitantes del Bajío, sino al general Cruz y al obispo de Guadalajara, de quien él tenía una carta en la que se explicaba con amargura acerca de las andanzas de Agustín, y a los vecinos y corporaciones de las provincias limítrofes.* Iturbide quiere lavarse de estas manchas en sus *Memorias* diciendo que *las casas de la condesa viuda de Rul y de Alamán dieron pruebas de que fueron sorprendidas o engalladas, abandonando la acusación;* pero el benévolo historiador que lleva el nombre de esta última y aristocrática familia, por ser miembro de sangre de ella, dice, a propósito de los hechos que estamos relatando, que *la verdad es que estas casas no querían comprometerse apareciendo como acusadoras en una causa criminal; su intento de que Iturbide fuese relevado del mando en la provincia de Guanajuato estaba logrado y no pedían otra cosa.* Agustín de Iturbide fue absuelto, cosa obvia y lógica, pero lo fue porque el virrey, el auditor de Guerra, Bataller, y algunos otros militares del Consejo le favorecieron descaradamente, y lo fue, ¡esto es lo mejor!, porque el fiscal y los jueces que debían condenarle fueron sus insignes valedores. Baste con decir que Bataller, empecinado hasta lo obsesivo en salvar a Iturbide, pero no pudiendo negar las evidencias acumuladas, no pudiendo negar el tráfico indigno con que se había enriquecido su ahijado, decía que, *no perteneciendo aquel jefe a las tropas de línea, sino a los cuerpos provinciales, podía, según la legalidad vigente, ejercer el comercio.* ¡Eufemística y sofisticada distinción con que Bataller quería equiparar el caso anómalo, extraordinario y castigado por las leyes, de la autoridad superior de una provincia que abusa de su mando para arruinarla con sus monopolios en pro de su enriquecimiento particular, con el caso natural y frecuente de los oficiales y voluntarios de las tropas del país que ejercían regularmente la profesión del comercio!

Pese al veredicto absolutorio, Iturbide quedó *tocado,* no pudiendo ejercer de nuevo su mando en Guanajuato, pero sí habilitado para llevar a cabo, andando el tiempo, lo que menos podían sospechar en aquel momento Calleja y Bataller: *habilitado para llevar a puerto la independencia mexicana, siguiendo sus instintos ambiciosos y haciéndose perdonar la historia de sangre y crueldad protagonizada anteriormente contra los insurgentes, de los que luego sería abanderado y caudillo aclamado.* Seguro que los españoles hubieran resultado beneficiados si el virrey y el auditor de Guerra, cumpliendo estrictamente las obligaciones de sus cargos y de su honor, y sirviendo a la verdad, hubieran enviado en aquel mismo instante a España a Iturbide con grilletes de presidiario. Pero está diáfano que la historia tenía que escribirse de otra manera, *gracias a la podredumbre moral de ciertos protagonistas ambiciosos y malévolos, esclavos de sus intereses personales, que, faltos de criterios éticos, dieron peligrosa cobertura a quien había preferido, al menos entonces, comportarse como un vulgar delincuente en vez de seguir ampliando su brillante historial castrense.*

El ejército, el clero y los españoles.—A finales de 1817 la formidable insurrección mexicana estaba por completo controlada. Así, muertos o en el destierro, o en duras prisiones, los principales caudillos de la revuelta, sólo en pie algún grupúsculo de guerrilleros de poca importancia que trataban de mantener vivo el rescoldo independentista, la Nueva España retornó a la normalidad, sus habitantes a las tareas consuetudinarias y el nuevo virrey, Juan Ruiz de Apodaca, planteaba una Administración honesta y tolerante, mientras las rentas alcanzaban ya las cifras de los períodos prósperos, y todo hacia suponer completamente garantizado el gobierno español en aquel inmenso territorio iberoamericano, quizá el más importante para la metrópoli.

Pero la fatalidad se había ensañado con España y desde ella misma habría de surgir la chispa que avivara de nuevo las llamas para concluir de esta guisa, y para siempre, con la dominación rojigualda en México.

Exuberantes de éxito las armas españolas en Venezuela, Santa Fe, Quito, Perú, Chile y el propio México, sólo el virreinato de Buenos Aires aparecía emancipado de la madre patria y para devolverlo a la anterior disciplina dispuso el Gobierno de Madrid enviar una expedición de 10.000 efectivos que, operando allí con el apoyo de las demás tropas castellanas de los vecinos territorios, contribuyera a la completa pacificación de la América española. Pero sublevado Riego (14) y extendido el fuego de la rebelión por toda la Península, de tal manera que Fernando VII, para salvarse, tuvo que jurar la Constitución de 1812, era evidente que se levantaba un nuevo orden de cosas en España que alentaba a los insurrectos criollos y a los amigos de la independencia mexicana, pues no sólo no podían enviarse desde Madrid refuerzos de tropa, sino que las libertades proclamadas en la metrópoli, y con escaso criterio planteadas sin limitación alguna en las antiguas colonias, iban a proporcionar grandes medios de combate a los autóctonos independentistas y, en consecuencia, a los residentes españoles que les daban cobertura.

Tres eran los sólidos pilares (¿...?) sobre los que se asentaba la dominación castellana en México: ejército, clero y núcleo español conservador fiel al Gobierno tradicional; pues bien, la revolución consumada en la madre patria, iba a ser la causa de que esos firmes pilares se tambalearan, conmovieran y escindieran, convirtiéndose alguno de ellos en declarado e irreconciliable enemigo de la metrópoli.

Se tambaleaba el ejército, porque, después de una campaña ardua y sangrienta para restablecer la autoridad española, estaba desatendido, lo mismo el indígena que el expedicionario, y había jefes, coroneles y brigadieres que, después de haber dado pruebas de heroica valentía, continuaban en la misma situación, al paso que, aparte del deletéreo contagio que llevaba consigo toda sedición castrense, los jefes, oficiales y soldados que habían tomado parte en el movimiento de Cabezas de San Juan se veían pródigamente remunerados.

---

(14) *Rafael del Riego y Nuñez* (1785-1823). General y político español, nacido en Santa María de Tuña (Oviedo). Ingresó en la Guardia de Corps luchando con valentía en la guerra de la Independencia. Prisionero en la batalla de *Espinosa de los Monteros* y llevado a Francia, aprendió allí los principios revolucionarios que hicieron que posteriormente se alzara en armas contra el absolutismo de Fernando VII en Cabezas de San Juan (1820) para proclamar la Constitución de 1812. Colmado de honores entonces, al ocurrir la reacción de 1823 fue condenado a muerte y, después de haber sido arrastrado ignominiosamente por las calles madrileñas, fue ejecutado en la plaza de la Cebada de Madrid.

Titubeaba el clero porque *todos los Cabildos eclesiásticos temían la baja de sus rentas por una reducción en los diezmos como la decretada en España;* porque *todas las personas piadosas, y en general el pueblo entero, no veían en la ley de reforma de regulares y prohibición de profesiones otra cosa que el intento solapado de su completa extinción y todos eran otros tantos enemigos del sistema, no mirando a las Cortes más que como una reunión de impíos que aspiraban a la destrucción de las religiones y que no trataban más que de aniquilar el culto católico, comenzando por la persecución de sus ministros.* Había que añadir a esto que el obispo de Puebla, Pérez, último presidente de las Cortes de Cádiz, uno de los «persas» que invitaran al rey a destruir la Constitución y el prelado con más influencia de su diócesis, se veía amenazado de perder sus temporalidades, según acuerdo de las Cortes españolas, no creyéndose menos comprometido el obispo de Guadalajara y otros, por sus pastorales contra las nuevas ideas, y por último, que el pueblo de México, fiel a los jesuitas, vio con asombro y dolor que se les expulsaba de las casas y colegios que estaban bajo su dirección.

Dudaba la población europea, la población española, porque arrebatados unos por las ideas liberales, y temiendo otros que ellas reactivaran la lucha y fueran causa y efecto de que proclamara la independencia, la escisión debilitó la fuerza y ya no se presentaban como temibles a los criollos.

Los ánimos pues estaban exaltados, por no decir exaltadísimos, en México, contribuyendo a incrementar esta agitación de los espíritus los opúsculos que a diario se publicaban en uso de la libertad de imprenta, con las cabeceras más extrañas en las cuales, con el estilo más demagógico para impresionar al pueblo, se le invitaba a la revolución, glosando contra la conquista y los horrores derivados de ella, exponiéndose que todos los productos del reino, que apenas bastaban para cubrir sus gastos, se exportaban para enriquecer a España dejando exhausto al país: todo, con el objetivo claro y concreto de hacer odiosa la metrópoli y preparar la opinión pública contra el Gobierno. Se reimprimían además, y eran leídos con empeño, todos los papeles que se publicaban con idéntico sentido en España.

El Gobierno no podía consentir que se castigara a los autores de aquellos panfletos sediciosos, porque la Junta de Censura, compuesta por sujetos nombrados por las Cortes, y que profesaban iguales créditos que los escritores, los declaraba absueltos, y si en algún caso les condenaba en la primera calificación, en la segunda les exoneraba por completo.

No sería bueno en este instante establecer juicios de valor propios y nos parece más coherente acudir a la misma historia, a las expresiones del mismísimo Iturbide, quien, en un manifiesto publicado en Italia, después de su destierro, se expresaba en estos términos:

> *El nuevo orden de cosas, el estado de fermentación en que se hallaba la Península, las maquinaciones de los descontentos, la falta de moderación en los causantes del nuevo sistema, la indecisión de las autoridades y la conducta del Gobierno de Madrid y de las Cortes, que parecían empeñadas en perder estas posesiones, según los decretos que expedían y los discursos que por algunos diputados se pronunciaban, avivó en los benévolos patricios el deseo de la independencia; en los españoles establecidos en el país, el temor de que se repitiesen las horrorosas escenas de la insurrección; los gobernantes tomaron la actitud del que recela y tiene la fuerza, y los que antes habían vivido del desorden se preparaban a continuar en él. En tal estado, la más bella y rica parte de la América del Septentrión iba a ser despedazada por facciones. Por todas partes se hacían juntas clandestinas en las que se trataba sobre el sistema de gobierno que debía adoptarse; entre los europeos y sus adictos, unos trabajaban para consolidar la Constitución que, mal obedecida y truncada, era el preludio de su exigua duración; otros pensaban en reformarla porque, en efecto, tal como la dictaron las Cortes de España, era inadaptable en lo que se llamó Nueva España, y otros suspiraban por el gobierno absoluto, apoyo de sus empleos y de sus fortunas, que ejercían con despotismo y adquirían con monopolios. Las clases privilegiadas y los poderosos fomentaban estos partidos, decidiéndose a uno*

u a otro, según su ilustración y los progresos de engrandecimiento que su imaginación les presentaba. Los americanos deseaban la independencia, pero no estaban acordes en el modo de hacerla ni en el gobierno que debía adoptarse; en cuanto a lo primero, muchos opinaban que ante todas cosas debían ser exterminados los europeos y confiscados sus bienes; los menos sanguinarios se conformaban con arrojarlos del país, dejando así huérfanas un millón de familias, y el resto, más moderados, los excluían de todos los empleos, reduciéndolos al estado en que ellos habían tenido por tres siglos a los naturales. En cuanto a lo segundo, monarquía absoluta, moderada con la Constitución española, con otra Constitución, república federal, central, etc., cada sistema tenía sus partidarios, los que, llenos de entusiasmo, se afanaban por establecerlo.

La Constitución y la independencia.—No es de extrañar que, siendo tal el convulso estado de México a causa de la revolución consumada en España, los espíritus previsores anunciaran una hecatombe. El fiscal de la audiencia de México, José Hipólito Odoardo, hijo de Cuba, dirigió al ministro de Gracia y Justicia, en 24 de octubre de 1820, un luminoso informe en que se demostraba que, de plantearse allí la Constitución, se seguía la pérdida irreparable de México para España, proponiendo que se suprimiera su observancia hasta que la tranquilidad estuviera garantizada y desaparecieran las secuelas que había dejado la revolución, debiendo entre tanto gobernarse aquellos países por las leyes de Indias, revistiendo al virrey de facultades extraordinarias. Este remedio, que según Odoardo no hubiera propuesto de no estar convencido de que se perdía el reino con la ruina universal de todos sus actuales habitantes, y por idénticos motivos consideraba trascendente fortalecer la autoridad del virrey al máximo, ya que aquél *había indicado sus verdaderos sentimientos, ya en la renuncia de su cargo, por no considerar suficiente su actual magistratura para conservar el reino a través de los obstáculos que encuentra, y ya con la manifestación que nos hizo consternado* (a la Audiencia formando acuerdo) *el día de la jura sobre que iban a malograrse todos los trabajos que había empleado en la pacificación del reino por el abuso que se hacía de las nuevas instituciones.*

Así, el general Dávila, que mandaba en Veracruz, cuando juró la Constitución para dar gusto a los comerciantes españoles de aquella plaza, muy liberales en casi su totalidad, pero a la par que españoles, anunciaba también:

—*Señores, ya ustedes me han obligado a proclamar y jurar la Constitución: esperen ustedes ahora la independencia, que es lo que va a ser el resultado de todo esto...* —palabras (según dice un escritor americano) tenidas entonces por quienes las oyeron por temores ridículos de un anciano servil, pero que no pasaron muchos meses sin que se vieran cumplidas.

Muchos de los españoles residentes en la capital de Nueva España, cuando tuvieron noticias de la insurrección triunfante en la metrópoli, celebraron varias reuniones para impedir la proclamación de la Constitución, declarando que el rey estaba sin libertad y que, mientras la recobraba, México continuaría gobernándose por las leyes de Indias, con independencia de las españolas; plan que se suponía a la aprobación del virrey, de la Audiencia y en que entraba Iturbide, añadiéndose que el conde del Venadito lo aceptaba porque le había escrito una carta a Fernando VII, en que le manifestaba la violencia que se le hacía y la intención en que estaba de evadirse de España y pasar a México, donde se prometía encontrar vasallos más leales y obedientes.

Por el temor que tenía el virrey de que la sedición militar de la Península, debida principalmente a los esfuerzos de la masonería, cundiera entre las tropas expedicionarias de México, también *tocadas* de este *mal* entonces, y la jura de la Constitución por la guarnición de la plaza de Veracruz, hicieron abortar todos estos proyectos y obligaron al virrey a apresurar su propio juramento por parte de todas las corporaciones, autoridades y fuerzas que había en la capital. Apodaca juró e hizo jurar la Constitución, bien a su pesar y a sabiendas de la tempestad que se cernía sobre él, de tal modo que, cuando dos de los diputados nombrados para las Cortes españolas se despidieron de su persona manifestándole su ferviente deseo de encontrarle allí y en buena salud a su regreso, les interrumpió, exclamando:

—*¡Encontrarme a la vuelta de ustedes! ¿Saben todo lo que tiene que suceder en este país durante su ausencia?*

Mientras se seguían hacinando combustibles para incendiar las posesiones españolas en Iberoamérica, mientras en México se creaba una situación en que sólo faltaba un hombre audaz que se pusiera al frente de los revolucionarios para cristalizar la independencia, los americanos se agitaban en España, subordinados a Ramos Arispe, diputado en las Cortes de Cádiz y enemigo capital de la metrópoli, para remover a los virreyes Apodaca y Pezuela y a los generales Morillo, Cruz y demás jefes militares que hasta entonces habían controlado la insurrección. En bastante complacieron a los americanos el Gobierno y las Cortes españolas, en donde los partidos exaltados aumentaban sus efectivos con los diputados americanos, que en su totalidad, empezando por los eclesiásticos, se asociaban a las reformas e innovaciones entonces más temerarias, por la esperanza que se les daba de que se iba a proclamar la independencia de las Américas.

Bajo este criterio fue elegido para mandar en México el teniente general Juan O'Donojú, hombre de ideas muy exageradas, influyente en las logias masónicas de España y aspirante a eclipsar a Riego entre los liberales.

Iturbide y la independencia.—Se ha dicho que a consecuencia del estado de cosas creado en México por la revolución española de 1820, aquel país no necesitaba más que un líder atrevido para realizar su independencia, y ese hombre audaz apareció.

AGUSTÍN DE ITURBIDE ARAMBURU

Iturbide, que les caía bien a los europeos porque había combatido a su lado contra los insurrectos, no sospechoso a los hijos del país porque era un mexicano valiente y ejercía sobre los demás la fascinación de su temeraria habilidad, y solapado como buen criollo, pero tanto más temible cuando parecía más franco y abierto, de afables y corteses maneras, insinuante y de amena conversación, joven aún, algo corrompido en verdad, pero de esa *corrupción brillante* con que transigían todas las honradeces del siglo, manirroto y despilfarrador como todos los ambiciosos que improvisan por malos medios sus fortunas y se las dejan arrancar con calculada indiferencia por los amigos (porque esperan encontrar en ellos cómplices de futuras tropelías y otras liviandades); resumiendo: Iturbide era *el hombre que necesitaba México* para alcanzar su emancipación de España. Soñaba de antiguo Agustín con la independencia y el mismo encarnizamiento con que trataba a los insurgentes nacía de que con su conducta de forajidos con los españoles la *retardaban* (la independencia) *más*, cuando no la hacían imposible; pero desde entonces se insinuaba en el ánimo de algunos europeos para conseguir la emancipación de una manera regular y ordenada en el momento oportuno, ahogando antes aquella inicua y absurda insurrección que por tan atroces medios buscaba el triunfo. Cuando con el restablecimiento de la Constitución española de 1820 se ofendían y lastimaban intereses, clases y personas en México, a la par que se abrían nuevos y peligrosos horizontes y se acaloraba a los hijos del país que estaban furiosos contra la madre patria, Iturbide consideró llegado el momento de obrar, solicitado como estaba por españoles para impedir que se proclamara la Constitución tal como en España regía. Lo que deseaba y pedía Agustín de Iturbide era un mando cualquiera que pusiera algunas tropas a su disposición, y para desgracia de la metrópoli quiso el destino que se ofreciera una ocasión pintiparada para lograr sus designios.

El coronel mexicano José Gabriel de Armijo, que desde 1814 mandaba el distrito del Sur, y antes de aquella lucha, y después, y siempre, tanto se distinguió por su fidelidad a España, renunció al cargo dado lo precario de su salud, y obligado el virrey a aceptar su renuncia, tuvo el nefasto (desde la óptica española, claro) pensamiento de nombrar a Iturbide para reemplazarle, contra quien, en honor a la verdad, ninguna sospecha, al parecer, podían abrigar los castellanos. Le había recomendando un español de importancia en México, el doctor Monteagudo, que tomó parte en la deposición de Iturrigaray y centró a la sazón de todos los españoles descontentos con el Código de 1812; el teniente coronel Miguel Badillo, español también, y a cuyo cargo corría el área de guerra en las oficinas del virreinato, dio buenos informes a Apodaca cuando le preguntó por él, de modo que, en la dificultad de encontrar un jefe apropiado para confiarle el mando del único distrito en que quedaba algún rescoldo de la pasada insurrección, el conde del Venadito le llamó y, tras celebrar una extensa conversación a solas con Iturbide, dispuso que se le nombrara *comandante general del Sur y rumbo de Acapulco, con idénticas facultades de las que gozara el coronel José Gabriel de Armijo*, no sin recomendarle verbalmente que evitara en lo posible cualquier fricción sangrienta y que tratara de atraer a indulto a Guerrero y a Asensio, únicos guerrilleros que aún no se habían sometido.

Agustín de Iturbide partió hacia su destino el 16 de noviembre y todo su empeño estaba centrado en que se le confiaran el mayor número de efectivos humanos y fondos en abundancia. El 19 del mismo mes, desde la hacienda de San Gabriel, escribía a Apodaca la siguiente carta, insigne paradigma de doblez e ironía:

> *Mi muy amado y respetado general: Si la verdadera adhesión a la persona de V.E. y mi constante anhelo por el mejor servicio del rey y la patria me hicieron admitir luego el mando militar de la demarcación del Sur, el mismo interés del buen servicio, la adhesión misma a la muy apreciable persona de V.E., no menos que el honor comprometido por el buen éxito del encargo y porque jamás tenga V.E. motivo de arrepentirse de la confianza que ha librado en mis cortas luces y genio en asunto gravísimo y en circunstancias tan delicadas, me obligan a manifestar a V.E. los males que yo noto; pero siempre será, no con ponderaciones, sino con la exactitud de mi carácter, y que es inseparable del hombre de bien...* —tras

extensas parrafadas, seguía diciendo en su carta— ... *mi fin es y será siempre el de restaurar el orden y cooperar a la gloria de que V.E. vea en poco tiempo pacificado todo el reino. Así pues, mi amado y respetado general, me tomo la libertad de rogarle particularmente, con el mayor encarecimiento, que se dignen poner a mis órdenes toda la tropa que le he pedido para esta campaña; un esfuerzo digno de V.E. hecho en el momento es lo que va a decidir la acción. Ejecutado el golpe que tengo meditado, las tropas podrán volver a sus demarcaciones.*

Iturbide consiguió que se pusiera bajo sus órdenes y saliera con él de México el regimiento de Celaya, que había mandado ya como coronel; no le fue difícil durante el trayecto seducir a los oficiales más influyentes y, llegado a Teloloapan, escribió nuevamente al virrey pidiéndole que dejara en aquel distrito el batallón de Murcia, que debía partir para la demarcación de Tejupilco, y Apodaca, no sólo accedió, sino que dio orden para que dicha comandancia quedara agregada a la del Sur, con todos sus efectivos, por pretender retirarse del servicio el jefe que la comandara hasta entonces, consiguiendo además Iturbide que se le uniera el cuerpo de caballería de Frontera y otros jefes de su particular confianza, a todo lo cual accedía Apodaca porque confiaba ciegamente en el criollo. El plan de Agustín, que tenía a sus inmediatas órdenes unos 25.000 soldados, se encaminaba a barrer, por la vía más directa, de guerrilleros e insurrectos todo el territorio bajo su mando, antes de declararse él mismo en rebelión, y aunque al principio tuvo la suerte de que se le presentaran algunos a indulto, era consciente de que no le sería tan fácil reducir a Guerrero y Asensio, mucho más cuando este último había conseguido algunas ventajas sobre pequeños destacamentos de sus tropas y el primero rechazaba con desdén el indulto ofertado por el virrey, exhortando de paso a Iturbide a que siguiera el ejemplo de los militares españoles en las Cabezas de San Juan, declarándose por la causa del independentismo de su patria y empleando contra el Gobierno las fuerzas que éste había puesto a sus órdenes.

Iturbide optó por dialogar con Guerrero haciéndole partícipe de su verdadero proyecto. Sin embargo, necesitaba de fondos en abundancia para iniciar la campaña y de una imprenta para dar publicidad a sus propósitos, haciéndolos llegar a todos los mexicanos: no podía aún quitarse la careta, y entonces, para justificar su inacción frente al enemigo, urdió un golpe de verdadera audacia, cual fue participar a Apodaca *que, a consecuencia de los pasos de que había dado parte, se había puesto bajo su mando, y por consiguiente a las órdenes del virrey, Guerrero con 12.000 hombres armados*, añadiendo que también se someterían todas las pequeñas partidas que aceptaban a Guerrero por jefe superior.

Apodaca estaba que ni se lo creía (¡y bien hubiera hecho no creyéndolo realmente!), pero estalló de gozo al recibir aquel comunicado de Iturbide; pero bien pronto la traición y el desengaño le abrirían los ojos cruelmente, tarde para él desde luego, a aquel crédulo e iluso anciano.

Habiendo conseguido imprimir en Puebla el manifiesto que dirigía a los mexicanos para explicar y justificar su alzamiento y habiéndose provisto, venciendo dificultades, de prensa y letras suficientes para formar una imprenta de campaña en el cuartel general, no faltaba a Iturbide más que dinero para subirse a su montura y lanzar el grito de rebelión. Pero, una vez más, suerte y fortuna se aliaron con Agustín, ya que, debiéndose enviar a Filipinas ¡525.000 pesos desde el puerto de Acapulco!, a bordo de la llamada *Nao de China*, y no existiendo completa seguridad dado el hecho de distintos grupúsculos de bandoleros que merodeaban por los caminos, se le encargó a Iturbide que custodiara el convoy portador de tan cuantiosa suma, y en efecto, así lo hizo, como se le mandaba, pero tuvo buen cuidado en declararse dueño del botín cuando el convoy llegó a Iguala, donde estaban reunidas todas sus tropas de confianza para agitar al aire el estandarte de la Independencia.

Tan bien había engarzado su proyecto Iturbide, hasta el extremo no sólo de engañar al virrey sino de confundirlo en su misma revolución independentista, que algunos llegarán a contemplar la posibilidad de que Apodaca fuera sospechoso de traición y colaboracionismo con las maniobras de su protegido. Acusación, es obvio, tan absurda como temeraria. Aun con menos arte, aun con menos astucia Iturbide; aun con menos confianza, aun con menos candidez Apodaca, aquél pudo engañarle de la misma manera. Toda la existencia anterior del criollo se había distinguido por su lealtad a España, y no existe hombre que, apoyándose en una vida de constante honra, no pueda engañar a otro, incluso siendo el mismísimo Maquiavelo, para consumar una infamia a su costa. Esta infamia es a veces una apostasía política bien aprovechada, otras un engaño privado, y las más de las veces, como en el caso que estamos contemplando, decide la suerte de un imperio y vale una corona.

Manifiesto de Iturbide.—No había necesidad de esperar más. Reunidos en Iguala el 24 de febrero de 1821 todos los cuerpos mexicanos que Iturbide tenía bajo sus órdenes y algunos de los europeos con cuyos jefes contaba, dio a conocer su proyecto en un notable manifiesto. Entresacamos algunas secuencias de este documento:

> «*¡Americanos!, bajo cuyo nombre comprendo no sólo a los nacidos en América, sino a los europeos, africanos y asiáticos que en ella residen... Las naciones que se llaman grandes en la extensión del globo fueron dominadas por otras, y hasta que sus luces no les permitieron fijar su propia, no se emanciparon...*
>
> *Trescientos años hace, la América Septentrional, que está bajo la tutela de la nación más católica, piadosa, heroica y magnánima, la España que educó y engrandeció estos pueblos y países del Septentrión... los daños que originan la distancia del centro de su unidad y que ya la rama es igual al tronco, la opinión pública y la general de todos los pueblos es la de la independencia absoluta de la España y de toda otra nación. ¡Así piensa el europeo, así los americanos de todo origen!*
>
> *Esta misma voz que resonó en el pueblo de Dolores en 1810 y que tantas desgracias originó al bello país de las deli-*

cias por el desorden, el abandono y otra multiplicidad de vicios, fijó también la opinión pública de que la unidad entre europeos y americanos, indios e indígenas, es la única base sólida en que pueda descansar nuestra común felicidad... ¡Españoles, europeos, vuestra patria es América, porque en ella vivís, en ella tenéis a vuestras amadas esposas, a vuestros hijos, vuestras haciendas, comercios y bienes...! ¡Americanos! ¿Quién de vosotros puede decir que no desciende de español?

Es llegado el momento en que manifestéis la uniformidad de sentimientos, y que nuestra unión sea la mano poderosa que emancipe a la América sin necesidad de auxilios extraños... Es ya libre, es ya señora de sí misma, ya no reconoce ni depende de la España ni de otra nación alguna... ¡Saludadla todos como independientes! Y sean vuestros corazones los que sostengan esta dulce voz, unidos con las tropas que han resuelto morir antes que separarse de tan heroica empresa. No les anima otro deseo, a nuestros ejércitos, que preservar pura la santa religión que profesamos y hacer la felicidad general. Oíd, escuchad las bases sólidas en que se funda su resolución...» (15).

(15) El texto íntegro del Plan de Iguala ya lo ha encontrado el lector en el *Capítulo Referencial*, anterior a este *Primer Cuaderno*.

Apéndice del cuaderno

— Documento biográfico de Fernando VII —
(Protagonista importante en la historia de México y de Iturbide)

Fernando VII: El Escorial, 1784; Madrid, 1833; rey de España de 1808 a 1833.

Juventud y primeros pasos políticos.—Hijo de Carlos IV y María Luisa de Parma, el príncipe Fernando gozó de una infancia y juventud tranquilas y normales, propias de un príncipe heredero. No obstante, muy temprano evidenció su carácter traicionero, cobarde y egoísta, aunque también su astucia puesta al servicio de las intrigas palaciegas. En ningún momento estuvo a la altura de lo que de él debía esperarse y todavía menos como monarca de una España que estaba atravesando un período critico y peligroso. Cuatro fueron los matrimonios en que participó: María Antonia de Nápoles, hija de Fernando IV; Isabel de Braganza, hija del rey portugués Juan VI; María Josefa Amalia de Sajonia y María Cristina de Borbón, hija de Francisco 1, rey de las Dos Sicilias.

En la corte de Carlos IV se fue formando un partido antagónico al valido Manuel Godoy que había paralizado definitivamente el programa reformista. Este partido, animado por María Antonia de Nápoles, esposa del príncipe Fernando, aglutinó a personajes como el canónigo Juan Escoiquiz, el marqués de Ayerbe, los duques de San Carlos y del Infantado, los condes de Montarco, de Bornos y de Montijo... A partir de 1806 el príncipe Fernando entró en esta dinámica. Al principio, el partido *fernandino* se mostró proclive a una alianza con Inglaterra, pero cuando Godoy cambió su política exterior en 1807 y resistió la presión francesa, se declaró pro francés.

En otoño de 1807 protagonizó en El Escorial un complot palatino, que demostró la descomposición de la monarquía borbónica. Enterados los reyes de los cónclaves secretos que tenían por escenario la habitación de su propio hijo, mandaron se revisaran sus papeles y le hicieron declarar ante los ministros. Carlos IV hizo pública la conspiración, pero Fernando delató a sus cómplices, pidió perdón y fue absuelto.

Cuando en marzo de 1808 Godoy comprendió el verdadero alcance anexionista de los planes de Napoleón I, quiso proteger a los monarcas llevándolos a Andalucía y, si era preciso, a las Indias. Sin embargo, la alta nobleza —irreconciliable enemiga de Godoy— se opuso al viaje y con la ayuda popular se estuvo preparando el derrocamiento de Carlos IV. El partido *fernandino* colaboró estrechamente en la confabulación. Por fin, el 17 de marzo, las turbas capitaneadas por los nobles, como el conde de Montijo, asaltaron la residencia de Godoy en Aranjuez y le maltrataron. Carlos IV, atemorizado, destituyó a su valido, pero el motín no amainó hasta conseguir que el rey abdicara en favor de su hijo Fernando, el 19 de marzo.

La marcha a Francia.—Proclamado rey Fernando VII, Napoleón siguió aprovechando el enfrentamiento entre Carlos IV y su hijo para consolidar posiciones en España, y no reconociendo al nuevo soberano, nombró a Joaquín Murat, duque de Berg, como su lugarteniente en la Península, quien entró el 23 de marzo en Madrid con las banderas desplegadas. Murat, hábilmente, alentó las esperanzas de Carlos IV de recuperar la corona, proponiéndole una reunión en la cumbre en Burgos, pero dicho encuentro no tuvo lugar en Burgos, porque Napoleón había sugerido Bayona, ya en territorio francés. Pese a la negativa de sus consejeros y aun del pueblo que intuía la traición del emperador, la comitiva real cruzó la frontera el 20 de abril. Carlos IV y su esposa fueron conducidos directamente de Aranjuez a Bayona, siendo Godoy liberado del castillo de Villaviciosa de Odón por Murat y trasladado también a la localidad vascofrancesa. Allí, Napoleón, obtuvo todo lo que le vino en gana. Manejando sutilmente el distanciamiento entre padre e hijo, consiguió que Fernando VII renunciara hacia su progenitor y que Carlos IV abdicara de nuevo a favor de Napoleón. Incluso firmaron una proclama (8 y 12 de mayo) en la que justificaban su decisión y pedían al pueblo que se sometiera al emperador para evitar males mayores. Carlos IV y María Luisa fueron internados momentáneamente en Fontainebleau, y Fernando VII, su hermano Carlos y su tío, el infante don Antonio, quedaron recluidos en el castillo de Valençay, donde permanecieron hasta su liberación en 1814.

Entre tanto, en España, se produjo el levantamiento popular y la quiebra del antiguo régimen. Napoleón proclamó la Constitución de Bayona y coronó a su hermano José. El sector reformista o afrancesado apoyó esta operación con la esperanza de encontrar una alternativa de recambio, pero la opción revolucionaria de las clases populares les sobrepasó, iniciándose la guerra de la Independencia.

El retorno del absolutismo.—En 1812 la guerra cambió de signo para las tropas anglo-hispano-portuguesas, que empezaron a reconquistar terreno en la Península, mientras que las Cortes de Cádiz proclamaban una constitución moderada. En noviembre de 1813, Napoleón I entró en contacto con Fernando VII y éste autorizó una paz basada en la neutralidad de España, pero las Cortes se negaron a sancionarla. Pese a ello, Napoleón puso en libertad a Fernando VII en marzo de 1814, poco antes de caer él mismo de su alta magistratura. Durante la última fase de la guerra se acentuó el enfriamiento entre las clases privilegiadas y nostálgicas del antiguo régimen y la burguesía liberal, que quería aplicar la Constitución de 1812.

En este momento intervino decisivamente el estamento eclesiástico que, sintiéndose amenazado en sus intereses por la revolución burguesa, se alineó con la oligarquía, influyendo decisivamente para que el pueblo rechazara el sistema constitucional.

A la hora del regreso a España, Fernando VII dudaba entre una y otra opción. Entró en Cataluña el 22 de marzo de 1814 dirigiéndose a Valencia entre las aclamaciones del pueblo, frente al cual había conservado su imagen carismática de *Deseado*. Por el camino recibió un mensaje del Consejo de Regencia en el que se le recordaban sus obligaciones con respecto a la jura de los principios constitucionales. Tres miembros de su séquito, Macanaz, Gómez Labrador y el infante don Antonio, le aconsejaron que no aceptara. El 22 de abril de 1814, sesenta y nueve diputados realistas publicaron en Madrid un documento (el *manifiesto de los persas*) en el cual se mostraban partidarios de un régimen absolutista, con la sujeción del poder real únicamente al bien común, y de la supresión de las instancias intermedias y representativas de la soberanía popular. Cinco días después, cuando pasaba revista unos regimientos en Valencia, el general Elío le ofreció su bastón de mando como símbolo de su categoría de general en jefe de todas las fuerzas armadas. Seguro del apoyo del ejército, del clero, de la alta nobleza y del pueblo, Fernando VII se decidió, y el 4 de mayo fue publicada una real orden que anulaba la Constitución y la legislación de las Cortes al tiempo que anunciaba su voluntad de no someterse a los poderes legislativos, prometiendo, eso sí, respetar las libertades individuales, algunas reformas y convocar Cortes. El nuevo capitán general de Castilla, Francisco de Eguía, fue el encargado de llevar a cabo el golpe de estado, y en la noche del 10 al 11 de mayo arrestó a los más significados constitucionalistas que, sorprendidos, desistieron de ofrecer resistencia.

El primer período absolutista.—Fernando VII olvidó de inmediato sus tímidas promesas reformistas. Mientras se organizaba una encarnizada represión contra instituciones y personas comprometidas con el constitucionalismo o con los franceses, el Gobierno restauró el sistema político-social vigente en 1808. Ni siquiera Francia había realizado unos planteamientos revolucionarios tan profundos como España, y ello justificaba que toda la Europa de la Restauración alentara a Fernando VII en su brutal política represiva. Se estableció el sistema estamental, gremial y señorial; se le devolvieron a la Iglesia sus propiedades, se resucitó la Inquisición, aunque no el tormento, etc. Afrancesados y liberales tuvieron que recurrir al destierro, a la clandestinidad y a las sectas secretas masónicas, para salvar sus vidas.

CRONOLOGÍA DEL REINADO DE FERNANDO VII (1808-1833)

1808 (19-III) Carlos IV abdica en su hijo Fernando.
(10-V) Fernando VII abdica en Napoleón.

1813 (11-XII) Fernando VII recupera la corona española.

1814 (2-II) Las Cortes exigen a Fernando, para que pueda reinar, que jure la Constitución de 1812.
(22-III) Fernando regresa a España.
(16-IV) El rey llega a Valencia.
(22-IV) *Manifiesto de los persas,* favorable a las Cortes tradicionales y contrario a la Constitución de 1812.
(4-V) Abolición de la Constitución de Cádiz, decretada por Femando desde Valencia y llevada a cabo por el general Eguía.
(13-V) El rey entra en Madrid.
Restablecimiento de la Inquisición.
Persecución de los liberales.
(1-VII) Gabinete del duque de San Carlos.
(Septiembre) Pronunciamiento liberal de Espoz y Mina en Pamplona. Huye a Francia.

1815 (29-VI) Restablecimiento de los gremios y señoríos territoriales.
(Septiembre) Pronunciamiento liberal frustrado de Díaz Porlier en La Coruña.

	Fracaso de los diplomáticos españoles en el Congreso de Viena.
1816	(Agosto) Fernando VII casa con Isabel de Braganza.
	Conspiración de Vicente Richard en Madrid.
	Se establecen los servicios regulares de diligencias.
1817	Gabinete León y Pizarro.
	(Abril) Pronunciamiento de Lacy en Cataluña.
	(17-IX) Tratado favorable a Inglaterra sobre el comercio con América.
1818	Ley de venta de baldíos y realengos.
1819	(21-I) Conspiración del coronel Vidal en Valencia.
	(Octubre) Fernando VII casa con María Amalia de Sajonia.
	Carlos IV muere en Roma.
1820	(1-II) Rafael de Riego se pronuncia a favor de la Constitución de 1812 en Cabezas de San Juan.
	(Febrero) Pronunciamientos liberales en algunas ciudades gallegas y en Zaragoza, Barcelona y Pamplona.
	(7-III) Fernando VII jura la Constitución. Comienza el Trienio Liberal.
	(9-III) Se nombra una Junta Consultiva, que creará la Milicia nacional voluntaria, presidida por Argüelles.
	(19-VI) Se convocan las Cortes con mayoría liberal.
	(1-X) Promulgación de la Ley de monacales. Ley de supresión de los señoríos territoriales y mayorazgos.
	(16-XI) Intento de golpe de estado por parte de Fernando VII.
1821	(1-III) Crisis de «la coletilla» en la apertura de Cortes.
	Se perfilan los partidos políticos y la prensa cobra importancia.
	(Marzo) Gabinete Pérez de Castro-Bardají.
	(4-V) Asesinato del cura absolutista Vinuesa.
1822	(7-III) Fernando VII pide ayuda a la Santa Alianza.

(Febrero) Ministerio de Martínez de la Rosa, liberal moderado. Partidas absolutistas en Cataluña. Triunfo de los «exaltados» en las elecciones a Cortes.
(7-VII) Rebelión de los guardias reales, sofocada por la Milicia Nacional.
(5-VIII) Gobierno radical de San Miguel.
(15-VIII) Creación de la regencia absolutista de Urgel.
(22-XI) Tratado de Verona, firmado por Austria, Francia, Prusia y Rusia: confiaba a Francia el restablecimiento del absolutismo en España.

1823 (20-III) Traslado de la corte y el gobierno a Sevilla.
(7-IV) Los Cien Mil Hijos de San Luis, dirigidos por el duque de Angulema, entran por el Bidasoa en España.
(24-I/15-V) Ministerio de Flórez Estrada.
(24-V) El duque de Angulema entra en Madrid.
(26-V) Regencia de Calomarde en Madrid.
(11-VI) Regencia liberal por incapacidad del rey, declarada por las Cortes.
(1 -X) Tras el traslado de la corte a Cádiz y la fuerte resistencia de esta ciudad, la invasión francesa restablece el poder absoluto de Fernando VII.
(27-X) Riego es condenado a la horca. Muere el 17 de noviembre.
(13-XI) Fernando VII llega a Madrid. Represión contra los liberales, que son encarcelados o exiliados por medio de las Juntas de Fe.

1824 (3-VIII) Desembarco en Tarifa del liberal Francisco Valdés, derrotado por O'Donnell. Nueva y más rigurosa persecución de masones y liberales.
Tadeo Calomarde se convierte en el gran favorito del rey, hasta 1832.

1825 (Enero) Suavización de la represión contra los liberales. Reacción de los «apostólicos».
(18-VIII) Muerte del Empecinado por los «apostólicos».

	(15-VIII) Revuelta de los «apostólicos», dirigidos por el general Beasiéres.
1826	Desembarco del coronel Bazán en Alicante, derrotado por los realistas.
1827	Manifiesto de los realistas puros a favor de don Carlos, hermano del rey. Aperece el partido Carlista.
	(Septiembre) Revuelta de los agraviados en Cataluña. reprimida por el conde de España.
1828	(Abril) Partidas realistas en Cataluña.
	(Agosto) Junta suprema de Manresa, de tendencia carlista.
	(12-IX) Proclama de Fernando VIl en Cataluña, amenazando a los rebeldes. Fuerte represión del conde de España.
1829	(11-XII) Fernando VII casa con María Cristina de Borbón.
1830	(19-III) Publicación de la Pragmática Sanción aboliendo la Ley Sálica.
	(10-X) Nace Isabel II.
	(Octubre) Junta liberal de Bayona. La componían Istúriz y Calatrava principalmente. Entre el 14 y el 24 se producen intentos de penetración a cargo de Chapalangarra y Mina.
1831	(Febrero) Levantamientos en Cádiz y Ronda instigados por el general Torrijos.
	(26-V) Desembarco de Torrijos en Málaga. Acaba ejecutado.
1832	(13-IX) Enfermedad de Fernando VII.
	(18-IX) Derogación de la Pragmática Sanción. Sucesos de La Granja.
	(1-XI) Gabinete de Cea Bermúdez.
	(6-X) Regencia de transición de María Cristina. Amnistía.
	Clara división entre isabelinos y carlistas.
	(31-XII) Restablecimiento de la Pragmática Sanción.

1833	(4-I) Restablecido, el rey toma las riendas del Gobierno. (16-III) Don Carlos sale hacia Portugal. (30-VI) Las Cortes juran como heredera a Isabel II. Don Carlos se niega a jurarla. (29-IX) Muere Fernando VII.

Las intentonas liberales.—El desgobierno de este primer período absolutista tuvo su reflejo en la pérdida de *gran parte del imperio americano*. El país se recuperó lentamente de los desastres de la guerra pese a la administración inestable, corrupta e incompetente. La camarilla real (el duque de Aragón, Juan Escoiquiz, Antonio de Ugarte —que tramitó la ruinosa compra de una flota rusa apta para el desguace—, Chamorro, etc.) mediatizó siempre la acción del gobierno a través del propio Fernando VII, preocupado exclusivamente por evitar que nadie le hiciera *sombra*. La inestabilidad gubernamental fue una de las características de esta etapa, y sólo el ministro Macanaz propuso al rey absolutista la convocatoria de Cortes, osadía que le valió ser encarcelado en La Coruña. Se cursaron las órdenes más insensatas y descabelladas, inspiradas con frecuencia en el ultramontanismo de los clérigos, y se practicó el culto a la personalidad del rey sin recato alguno y a pesar de que éste imitaba los modos imperiales de Napoleón. Sólo el ejército podía alterar aquel estado de cosas. El ejército había sido muy poco depurado, aunque la oficialidad procedía en su mayor parte de los años de guerra e incluso de sectores liberales. La exigencia del título nobiliario para acceder a los mandos superiores y las reformas tributarias del ministro Martín de Garay crearon un fuerte resentimiento entre muchos oficiales que veían así abortada su carrera.

Los pronunciamientos militares a favor de un régimen liberal empezaron ya en 1814 con la marcha del ex guerrillero Javier de Mina sobre Pamplona. Los generales Juan Porlier, Luis Lacy, Lorenzo Milans del Bosch y Joaquín Vidala intentaron en años sucesivos derrocar el aparato absolutista, pero ninguno tuvo éxito y varios pagaron el fracaso con la vida. También el sector más aperturista del

Gobierno intentó una conspiración (la del *Triángulo*) que fue descubierta y controlada.

El levantamiento de Riego.—A finales de 1819 la masonería preparó un nuevo golpe a cargo de oficiales masones encuadrados en un cuerpo de ejército armado en Cádiz para ir a combatir a Iberoamérica, pero su comandante en jefe, el general Enrique José O'Donnell, conde de La Bisbal, que participó en los prolegómenos del golpe, acabó deteniendo a varios de los oficiales conjurados. No obstante, el 1 de enero de 1820, el coronel Antonio Quiroga y el comandante Rafael del Riego se sublevaron en Cabezas de San Juan proclamando la Constitución de 1812. Riego no obtuvo ningún éxito militar importante ni adhesiones andaluzas. Cuando la columna estaba prácticamente deshecha, la masonería consiguió sublevar las guarniciones de La Coruña, El Ferrol, Vigo, Oviedo, Zaragoza, Pamplona, Tarragona y Cádiz, y el conde de La Bisbal se unió finalmente a los insurgentes. Por otra parte, se deshizo la consistencia del poder y Fernando VII quedó solo y aislado. El 7 de marzo de 1820 proclamó la Constitución de Cádiz y, presionado por el pueblo, abolió la Inquisición unos días más tarde.

El Trienio Constitucional.—Muy pronto las distintas sectas secretas y logias masónicas se enfrentaron entre sí, agrupándose en dos grandes sectores: los *progresistas* (o *exaltados*) y los *moderados* (o *doceañistas*). Semejante pugna debilitó sin duda la experiencia constitucional. Los *moderados* ocuparon el poder entre marzo de 1821 y agosto de 1822 con los gobiernos de Pérez de Castro, Bardají y Martínez de la Rosa. En agosto de 1822 se formó el gobierno masónico del general Evaristo San Miguel, hasta octubre de 1823. Los *moderados* sostenían un programa transaccional con la participación de la corona, mientras que los *exaltados* pretendían reducir el papel de Fernando VII para llevar a término la revolución burguesa.

Las Cortes del régimen liberal se preocuparon esencialmente de reformar el sistema de propiedad, en especial los *señoríos jurisdiccionales* y los mayorazgos. La Iglesia resultó *tocada* también, ya que se prohibió la proliferación de bienes eclesiásticos, preparándose una limitada desamortización. El tribunal del Santo Oficio fue disuelto. Se propuso la venta de gran parte de los terrenos baldíos y de los realengos para disminuir el déficit estatal. Se decretó la libertad de navegación y pesca, incrementándose la producción agrícola y minera; se suprimieron las aduanas internas, instaurándose un sistema proteccionista para favorecer la agricultura. Se reformó el ejército tratando de mejorar su organización, preparación y contacto con las clases populares. El sistema tributario sufrió cambios importantes que afectaban sobre todo a la Iglesia y a los grandes terratenientes, preparándose un código penal y una nueva división administrativa del país. Toda esta legislación tuvo, sin embargo, escasa practicidad debido al poco tiempo que duró el período liberal, a la resistencia de los absolutistas y a las pugnas internas entre los mismos constitucionalistas. A partir de 1822, cuando dejó de llegar la *plata mexicana*, las dificultades financieras se agigantaron y hubo que decretar algunos impuestos impopulares. La situación se fue tornando angustiosa y el propio ejército, carente de recursos económicos, empezó a desmoronarse. El régimen liberal no pudo tampoco enderezar la situación de América (*México en especial*), creyendo erróneamente que la lucha de los criollos se limitaba a los excesos absolutistas, y no supo entender el alcance revolucionario y nacionalista de los independentistas americanos, tales como Agustín de Iturbide. Durante el transcurso de esta etapa Fernando VII se adaptó —una vez más— a las circunstancias, pero opuso una gran resistencia a las medidas liberales y sus fricciones con el Gobierno fueron continuas y constantes.

La reacción absolutista.—A mediados de 1822 los absolutistas empezaron a reaccionar contra el sistema constitucional, concretándose la susodicha reacción en el establecimiento de una regencia en la Seo de Urgel (Lleida, norte de Cataluña), presidida por los generales Besières, Eroles, Quesada y Samper; esta regencia consideraba a Fernando VII como cautivo de los liberales y de los masones, entendiendo como nulas las disposiciones firmadas por aquél a partir del 9 de marzo de 1820.

Las potencias conservadoras europeas (Austria, Rusia y Francia en cabeza) veían con muy malos ojos el régimen liberal español, temerosos de su posible influencia sobre Portugal e Italia. Hasta entonces el aislamiento internacional de España había sido casi absoluto, como demostró el Congreso de Viena y las guerras en América. Sólo se mantuvieron ciertas relaciones con Rusia. En todo caso, únicamente el oposicionismo británico impidió una acción inmediata europea contra el gobierno liberal. Tras el Congreso de Verona, y atendiendo los ruegos secretos de ayuda de Fernando VII, Luis XVIII de Francia asumió la iniciativa y, en abril de 1823, 132.000 efectivos militares franceses —los *Cien Mil Hijos de San Luis*—, al mando de Luis Antonio de Borbón, duque de Angulema, entraron en España. La respuesta de los constitucionalistas se limitó a algunas plazas aisladas como Pamplona, Figueres y Barcelona. Las Cortes y el Gobierno se retiraron con el rey a Sevilla y luego a Cádiz, ciudad que tomaron las fuerzas invasoras en octubre de 1823. Sin rubor alguno, Fernando VII declaró que había sido coaccionado por los liberales, regresando a Madrid envuelto de nuevo en el celofán absolutista y custodiado por las bayonetas galas.

La Década Ominosa.—Pese a las *sinceras promesas de perdón* hechas en Cádiz, durante dos meses no hubo gobierno, ya que los absolutistas se empecinaron en la cruel persecución de liberales, reformistas y masones, hasta tal extremo que el duque de Angulema y las cancillerías europeas expresaron su disgusto por la intensidad represiva. Sólo la presión del embajador ruso hizo que el monarca nombrara Gobierno —el de Casa Irujo— sustituido semanas más tarde por el del conde de Ofalia; en este segundo período absolutista destacaron por encima del resto dos protagonistas: el ministro de Gracia y Justicia, Tadeo Calomarde, que actuó como un auténtico valido, y Luis López Ballesteros, ministro de Hacienda, que consiguió estabilizar la economía española y sanear las finanzas.

Apoyados por Calomarde, los absolutistas más radicales o *apostólicos* se enfrentaron a los ministros más *tolerantes* y aperturistas. De este modo, Fernando VII se encontró presionado por absolutistas, apostólicos y liberales, que protagonizaron alternativamente varios pronunciamientos y conspiraciones, como el del general Besières o el del general liberal José María Torrijos en 1831; los apostólicos y algunos militares resentidos instauraron una Junta Provisional de Gobierno en Cataluña, violentamente reprimida por el conde de España. En el terreno económico la política proteccionista favoreció un tímido relanzamiento de la revolución industrial.

La sucesión de Fernando VII.—En 1829 Fernando casó en cuartas nupcias con su sobrina carnal María Cristina de Borbón. Sin hijos varones, en marzo de 1830 derogó por medio de una *Pragmática Sanción* la *Ley Sálica*, vigente desde el reinado de Felipe V, con el fin de que pudiera sucederle o bien su esposa o bien su hija Isabel, que nació pocos días después. Los apostólicos, que se habían agrupado alrededor del príncipe Carlos María Isidro —hasta entonces heredero del trono—, se esforzaron por conseguir la anulación de la *Pragmática Sanción*. Sin embargo, la reina María Cristina y el primer ministro Cea Bermúdez —partidario del poder real *puro* sin interferencias de liberales o apostólicos— impusieron sus puntos de vista sobre el enfermo monarca por encima de Calomarde (16) y Carlos

(16) Francisco Tadeo Calomarde (Villel, 1773-Toulouse, 1842). Político español de familia humilde, si bien sus estudios y un afortunado matrimonio le abrieron las puertas de la corte, donde llegó a ser, antes de 1808, secretario particular de Lardizábal, ministro de Indias. Pretendió durante la guerra de la Independencia salir diputado por Aragón a las Cortes de Cádiz, pero sus aspiraciones fracasaron rotundamente. Desde este instante evolucionó a una postura claramente absolutista, siendo colaborador de la primera etapa del gobierno de Fernando VII como subsecretario, sucesivamente, de Gobernación, Ultramar y Gracia y Justicia. Sin que

María Isidro. A punto estuvieron éstos de conseguir sus propósitos en el verano de 1832 en La Granja (Segovia), aprovechando una grave enfermedad de Fernando VII, quien llegó a convocar Cortes para que juraran a su hija como legítima heredera de la corona, lo que produjo el cisma definitivo entre Fernando y Carlos María, que se traslado con sus apostólicos a Portugal. Fernando VII murió en septiembre de 1833, y mientras se formaba un frente cristiano-absolutista-liberal pera defender la regencia, Carlos María Isidro iniciaba las guerras carlistas (17).

---

se sepan las razones, fue confinado a Pamplona, de donde saldría tras la invasión de los *Cien Mil Hijos de San Luis* para ofrecerse al duque de Angulema, quien le encargó de la secretaría de la Regencia. En 1823, finalizado el Trienio Liberal, fue nombrado ministro de Gracia y Justicia. Desde entonces fue el adalid del partido absolutista y enérgico defensor de la monarquía de derecho divino frente a toda tendencia constitucional y parlamentaria, siendo uno de los que aconsejaron rigor y mano dura, consiguiendo la ejecución de los liberales alzados en Tarifa; ofreció su apoyo a Miguel de Braganza, adversario de la monarquía constitucional de María Gloria de Portugal; secundó en Cataluña, durante su estancia de 1827, la brutal represión del conde de España, llegando incluso, en una ocasión, a decretar el cierre de las universidades. Aunque se distinguió más por su servilismo real, su gabinete elaboró un nuevo Código Penal y un Código de Comercio. Por orden de Fernando VII refrendó el decreto que confirmaba la abolición de la *Ley Sálica* y permitía el acceso al trono de la futura Isabel II. Ganado más tarde por la causa carlista, indujo al monarca a revocar su decisión, lo que le granjeó la animadversión de María Cristina, que pronto ejercería la Regencia, y la famosa bofetada de su hermana Luisa Carlota, de dudosa autenticidad por otra parte. Exonerado de sus cargos a la muerte del rey y a un paso de ser encarcelado por la regente, pudo escapar a París, de donde pasó a Roma. Después fijó su residencia en Toulouse, ciudad en la que se produciría su óbito.

(17) Fuente informativa de procedencia: *GRAN LAROUSSE UNIVERSAL* (con el aval científico de la *Universidad de Salamanca*), volumen 14. Plaza y Janés Editores, Barcelona.

CARLOS MARÍA ISIDRO DE BORBÓN

Príncipe español, pretendiente a la corona de España con el nombre de Carlos V (Madrid 1788-Trieste 1855).

Hijo segundo de Carlos IV, Carlos María Isidro nació en Madrid el 29 de enero de 1788. Siguió a su padre en su destierro en el castillo de Valençay, tras su abdicación en favor del primogénito, Fernando VII. Permaneció allí hasta 1814, y en 1816 contrajo matrimonio con doña Francisca de Asís, infanta de Portugal, hija del rey Juan IV.

El movimiento absolutista: Cuando Femando VII regresó a España, Carlos se instaló en la corte en Madrid. A partir del período 1820-1823, empezó a agrupar en torno suyo a elementos absolutistas, disconformes con la actitud benevolente del rey respecto a los políticos ex liberales o moderados.

A partir de 1826, la fracción apostólica empezó a propugnar abiertamente al infante don Carlos como su jefe. La revuelta de los Agraviados en Cataluña (1827) fue de hecho el primer levantamiento carlista, aunque don Carlos se negó a sancionarlo. El Manifiesto de la Federación de los Realistas Puros (*Manifiesto de los Persas*), publicado entonces, contenía ya ese esbozo de lo que posteriormente sería el programa carlista. Pedían la disolución del ejército liberal, el exilio de los funcionarios liberales que ocupaban cargos codiciados por los realistas y la restauración de la Inquisición. No hay pruebas de que don Carlos (personaje de carácter débil y dotado de escaso talento político) simpatizara con el realismo renovador y la constitución tradicionalista del Manifiesto de los Persas, pero su postura decididamente absolutista, anclada en el teocratismo del siglo XVI, y su profundo catolicismo le acercaban a esta facción de la corte, descontenta ante la imposibilidad de controlar el reparto de los cargos públicos.

Los sucesos de La Granja: El realismo no fue públicamente infiel a su rey, aunque se sentía espiritualmente unido a don Carlos. Lo que decidió al partido por el infante fue la cuestión dinástica, planteada en 1830 con la publicación de la Pragmática Sanción por Fernando VII. La esposa del rey, María Cristina de Borbón, se dio cuenta que para reforzar su posición tenía que apartar a don Carlos de la sucesión a la muerte de Fernando, que se auguraba próxima. Se apoyó en los liberales simplemente, porque eran opuestos al absolutismo clerical, y en marzo de 1830 sus partidarios en la corte lograron que el rey publicara una pragmática, que excluía a don Carlos de la sucesión, incluso si la reina alumbraba a una hembra.

En 1832, durante un período en que Fernando se había apoyado más en los carlistas debido a su temor a las recientes intentonas liberales, los partidarios de don Carlos volvieron a dominar en la corte. En septiembre Fernando sufrió un ataque de gota que los médicos consideraron mortal; don Carlos aprovechó la situación de la reina, sola en La Granja y aislada de sus partidarios políticos, que estaban en Madrid, para amenazarla con una guerra civil si mantenía el derecho de su hija a la sucesión. La reina se vio obligada a revocar la Pragmática Sanción, pero el rey se recuperó, condenó la intentona carlista de imponerse al país en La Granja, y volvió a publicar la Pragmática. El 6 de marzo de 1833 don Carlos y su familia tuvieron que abandonar Madrid y trasladarse a Portugal, donde se instalaron en Almeida,

Vuelta a España y exilio definitivo: A la muerte del rey, en septiembre de 1833, se esfumaron los escrúpulos que impedían al pretendiente alentar la rebelión armada.

El 2 de septiembre sus partidarios le aclamaron como rey en las Vascongadas. Se publicó el manifiesto de Abrantes (1 de octubre), en el que se le proclamaba rey de España con el título de Carlos V.

La insurrección de sus partidarios se inició el 2 de octubre con el levantamiento de Talavera, pero don Carlos continuó en Portugal. De allí tuvo que trasladarse a Inglaterra, cuando la facción absolutista portuguesa encabezada por don Miguel fue derrotada. De Inglaterra marchó a Francia, y atravesó el país para entrar finalmente en España en 1834. Instalo su residencia en Navarra, donde contrajo matrimonio con la princesa de Beira (1838). Se ocupó de la dirección de la guerra, hasta que sus desavenencias con Maroto, general en jefe de las tropas del Norte, empujaron a éste a firmar el convenio de Vergara (31 de agosto de 1839) con el general Cristino Espartero. El convenio (abrazo de Vergara) significaba el fin de la guerra y la renuncia de los carlistas a defender las pretensiones de don Carlos al trono de España. Don Carlos se refugió en Francia, instalándose en la localidad de Bourges. Allí abdicó sus derechos en favor de su hijo primogénito, Carlos Luis (1845), y adoptó el título de conde de Molina. Más tarde se trasladó a Génova, y posteriormente a Trieste, donde moriría en 1855.

Segundo cuaderno

— ... Hasta su exaltación al trono —

Iturbide rehúsa el tratamiento de teniente general.—Para estrechar los lazos de unión entre los agrupados en torno de la independencia, Iturbide citó en sus aposentos, el 1 de marzo, a los distintos jefes de los cuerpos, comandantes de puntos militares de la demarcación y demás oficiales, halagándoles en privado uno por uno, pero en público les habló a todos de altos y nobles sentimientos de religión, fraternidad e independencia, de unidad entre europeos y americanos para cimentar con ella la nueva patria y el nuevo trono de Fernando VII. No hay duda de que estas razones eran plausibles, e incluso honradas y generosas, y que servían para dar autoridad y fuerza a Iturbide ante los pueblos y los soldados; servían, así mismo, para contener y controlar el desenfreno de ambiciones y apetitos que solían desarrollarse en todo movimiento revolucionario, y que acababan convirtiéndose en su máximo descrédito.

¡Viva la religión! ¡Viva la independencia! ¡Viva la unidad entre americanos y europeos! ¡Viva Agustín de Iturbide!, eran los gritos que restallaban como cañonazos en el salón y en las calles, bien que muchos, queriendo juntar lo positivo a estas alegrías de ordinario tan efímeras, invitaron con tenacidad al líder independentista a que, de coronel que era, admitiera el empleo y tratamiento de *teniente general* (acaso llevados sin duda de su fe en el jefe mexicano, o quizá deseosos de graduar por aquel crecido premio la propia recompensa a que aspiraban), pero Agustín, con buenas y amables palabras, rechazó por su honor, de manera incuestionable, tan alto e inmerecido (según él y según el momento, claro) galardón militar.

Juramento de Iturbide.—Conforme al acuerdo que tomó la Junta en el alojamiento de Iturbide, al día siguiente, 2 de marzo, volvieron a reunirse para prestar juramento de fidelidad. El capellán del ejército, don Antonio Cárdenas, lo tomó a todos los concurrentes, después de leer en voz alta el evangelio del día. Iturbide fue el primero en prestarlo, puesta la mano izquierda sobre el santo evangelio y la derecha sobre la empuñadura de la espada, en los siguientes términos:

—*¿Juráis a Dios y prometéis bajo la cruz de vuestra espada observar la santa religión católica, apostólica y romana?*

—Sí, juro.

—*¿Juráis hacer la independencia de este imperio, guardando para ello la paz y unión de europeos y americanos?*

—Sí, juro.

—*¿Juráis la obediencia al Señor Don Fernando VII si adopta y jura la Constitución que haya de hacerse por las Cortes de esta América Septentrional?*

—Sí, juro.

—*Si así lo hiciereis, el Señor Dios de los ejércitos y de la paz os ayude, y si no, os lo demande.*

Por la tarde, la tropa prestó igual juramento en presencia de Iturbide, que acudió acompañado de su estado mayor y que, puesto al frente de la línea que formaban los batallones, se expresó de esta manera:

> *¡Soldados! Habéis jurado observar la religión católica, apostólica, romana; hacer la independencia de esta América; proteger la unión de españoles, europeos y americanos, y prestaros obedientes al rey Don Fernando VII, bajo condiciones justas.*

> *Vuestro sagrado empeño será celebrado por las naciones ilustradas; vuestros servicios serán reconocidos por vuestros conciudadanos, y vuestros nombres colocados en el templo de la inmortalidad. Ayer no he querido admitir la divisa de teniente general, y hoy renuncio a ésta* —acompañó las palabras arrancándose de la manga y arrojando al suelo los tres galones, distintivos de los coroneles españoles—. *La clase de compañero vuestro llena todos los vacíos de mi ambición. Vuestra disciplina y vuestro valor me inspiran el más noble orgullo. Juro no abandonaros en la empresa que hemos abrazado, y mi sangre, si necesario fuese, sellará mi eterna felicidad.*

Era natural que los soldados contestaran a esta arenga con vivas y aclamaciones, era lógico que se repitieran al desfilar por delante de Iturbide cuando se retiraban a sus cuarteles. Todo, aquella tarde y aquella noche, era alegría; no se escuchaban más que canciones de contenido patriótico-bélico y continuos vivas, y el *comité adulatorio* ya tenía preparada para la banda del regimiento de Celaya, que mandó Agustín, una marcha triunfal en honor de su coronel. La tropa era quien más se extremó en sus vivas y entusiasmo hacia Iturbide; verdad es que había recibido en nombre de éste un estímulo en dinero y una generosa ración de aguardiente.

Por lo demás, el acto entre triunfalista, patriótico, humilde e histriónico, protagonizado por Iturbide al arrancarse de la manga los galones de coronel y arrojarlos al suelo, diciendo que *sólo quería conseguir la independencia de su patria como simple compañero de sus soldados*, era el complemento (teórico y momentáneo) de su renuncia al empleo de teniente general. Porque en lo más profundo del alma de Agustín fermentaba ya confusamente aquella ambición del sumo imperio que hacía decir a Vespasiano, según refiere Tácito: *Imperium cupientibus, nihil medium, ínter suma aut proecipitia* (18).

---

(18) *No hay término medio cuando se codicia el imperio: la cumbre o el precipicio.* A la cumbre subió, pero al precipicio bajó, también, Agustín de Iturbide.

Entre tanto prefirió el camino de la abnegación y del desinterés, máscara hipócrita de los grandes ambiciosos. Una ambición vulgar se satisface con medros escalonados que acaso la desautorizan ante la multitud cuando el aparente desprendimiento sirve para que otras ambiciones más calculadoras, hasta las groseras y burdas que no se apoyan ni en el genio, ni en la virtud, ni en verdaderos merecimientos, lleguen a la meta que se propusieran, haciendo resaltar a toda hora su farisaica abnegación enfrente de los escuetos egoísmos e interesados móviles que hormiguean en toda sociedad. ¡Tanta fuerza tiene la virtud, aun siendo sólo vana apariencia y antifaz del vicio!

Las ideas capitales del *Plan de Iguala*: Tres son las ideas fundamentales del llamado *Plan de Iguala*: el sostenimiento de la religión católica con todas las preeminencias anexas al culto más privilegiado, la independencia de México y el llamamiento de Fernando VII o de alguno de sus hermanos para ocupar el trono de la nueva nación. Queda claro, examinando el asunto desde perspectivas más personales, interesadas e intimistas, que para agrupar elementos, suprimir resistencias (y reticencias) y prometerse un éxito seguro en su atrevida empresa, Iturbide procedió con previsión consumada.

Es una evidencia innegable y a la vez incuestionable el deseo de independencia que subyace subliminal e incluso abiertamente en todos los pueblos y colonias sometidos. No obstante, es de justicia reseñar que en el caso concreto de México eran fuertes los lazos existentes entre este país y la madre patria, fuertes y numerosos. El clero, sobre todo el clero de elite, predicaba siempre la unidad. Eran infinitos los españoles allí establecidos con posición y fortuna, con ricas casas de comercio, con interminables propiedades (por su extensión); no pocos los mexicanos cuyos intereses estaban vinculados a la metrópoli, y la población autóctona (india), ignorante, perezosa, abandonada a su suerte, se distinguía por su adhesión a los reyes de España (Fernando VII, en este momento concreto de la historia), adhesión de la que constaban innumerables rasgos aun después de proclamada la República y hasta cuando existió el último imperio. Sólo en la población media, oriunda de castellanos, formada en el país; sólo en la clase de criollos, con una hipocresía que hubiera hecho enrojecer de envidia al mismísimo Maquiavelo, dados a la ociosidad todavía más que sus ancestros, ávidos de posición y de medros, valientes eso sí hasta la temeridad, como a quien fatiga la vida que se alimenta del penoso trabajo consuetudinario y la aventura por levantarse de sus tinieblas y de su desdicha en el interrogante azar de una acción guerrera...; sólo en la clase de criollos, como sucedía en el Plata, Venezuela, Chile, Perú y también luego en Cuba, estaban los enemigos verdaderos, persistentes e impla-

CUADRO COMPARATIVO DE AMERICANOS Y EUROPEOS EMPLEADOS EN MÉXICO EN 1811

	Europeos	Americanos
Secretario del virreinato		1
Oficiales de dicha Secretaría	4	10
Escribano de guerra y alguacil mayor		2
Escribanos de Cámara, relatores, etc	7	88
Juzgado general de bienes de difuntos	1	5
Ídem de indios	2	9
Juzgado ordinario de México	1	3
Cabildo eclesiástico	10	19
Tribunal eclesiástico	3	17
Regidores perpetuos	2	12
Honorarios perpetuos	2	2
Empleados del Ayuntamiento	2	24
Ídem en el ramo de alcabalas	8	16
Subalternos de esta renta	7	24
En el Tribunal de Cuentas	10	54
En la Tesorería del ejército	6	14
En la Contaduría de azogues	2	5
En la Dirección de pólvora y naipes	3	11
En loterías	6	22
TOTAL	76	338

cables de España, por lo que, hablarles a ellos de independencia era abrirles horizontes de luz, vida, esperanza, y caminos de prosperidad y grandeza; significaba atraerlos incondicional y decididamente, constituir con ellos la falange macedónica de la revolución, formar aquellas legiones de desesperados que abanderaba Catalina en Pistoya, compuestas de gentes ricas que habían venido a menos, patricios pobres que aspiraban a más, de ociosos profesionales, de disolutos apátridas y que murieron todos heridos por delante, porque para ellos no había retirada posible, no había fuga, no había término medio alguno; preferían la muerte si no alcanzaban el triunfo que los llevara por el aire a Roma.

Sin duda que no existía más que teóricamente el amor de estos criollos a europeos y españoles; sin duda que no sería mucho el fervor con que aceptaban a Fernando VII o alguno de sus hermanos; sin duda que el ideal que los enamoraba era la República, convencidos de que ésta (y posiblemente así fuera) ofrecía ancho campo a la totalidad de ambiciones que se gritaban y a todos los caracteres exagerantes, cubriendo con deslumbradoras utopías la voz de la razón y el ascendiente de la virtud en el sencillo ánimo del pueblo; pero todavía era pronto, muy pronto, para que los resentidos y ávidos criollos se despojaran del antifaz. La última revuelta, sofocada por los cañones castellanos, les había demostrado crudamente su impotencia y la necesidad imperiosa (que no imperial) de atraerse y engatusar a los crédulos hispanos, que cayeron de buena fe en tan torpe alianza, fuera de que, si no proclamaban también la religión y a Fernando VII, a la par que la independencia, como lo hiciera el cura Hidalgo, era más que posible, era casi seguro, que los pobres indios, destinados a ser carne de cañón en aquella guerra, como lo habían sido los gauchos en el Plata, no vendrían a engrosar con sus masas los batallones de insurrectos.

Se defendía la religión, el esplendor del culto, los bienes de las comunidades, todas las fundaciones piadosas para captarse, como captó Iturbide, *el decidido apoyo del clero.*

Se defendía la independencia para halagar la vanidad y el espíritu público, para conquistarse el importante y activo concurso de la población criolla.

Se defendía la unión de españoles y americanos, proclamando como emperador de México a Fernando VII *o alguno de sus hermanos, para seguir el campo opuesto que había marcado* el grito de Dolores, *funesto a los independentistas en 1810, para dividir a los españoles, para atraerse su influencia o al menos paralizar su brazo, conquistándose su neutralidad.*

Así era, éste era el *Plan de Iguala* con los vértices fundamentales de su triángulo, con sus tres garantes, por lo cual el ejército pasó a llamarse el ejército de las *Tres Garantías* o *trigarante*, plan admirable para conseguir enseñorearse rápidamente de todo, todito, el territorio mexicano.

España y la independencia; Iturbide y Fernando VII.—Debe aceptarse (por aquello que hoy definiríamos como *presunción de inocencia*) que Iturbide, en sus inicios, en el período incubatorio de su ideario independentista, deseara lo mejor para México y lo menos malo para España.

> *El* Plan de Iguala —decía entonces Iturbide defendiendo su obra maestra— *garantiza la religión que heredamos de nuestros ancestros; a la casa reinante en España propone el único medio que le resta para conservar estas dilatadas y ricas provincias; a los mexicanos concede la facultad de darse leyes y tener en su territorio el gobierno; a los españoles ofrece un asilo, que no deben despreciar si son previsores; asegura los derechos de igualdad, de propiedad y de libertad, cuyo conocimiento ya está al alcance de todos, y una vez adquiridos no hay quien no haga cuanto está en su poder para conservarlos o para integrarse en ellos.* El Plan de Iguala *destruye la odiosa diferencia de castas, presentando a cualquier extranjero la más segura y cómoda hospitalidad; deja expedito el camino al mérito para llegar a obtener recompensa; concilia las opiniones razonables y se convierte en barrera infranqueable a las maquinaciones de los malvados.*

Estas ideas no podían fructificar en aquel momento (y posiblemente en ningún otro) ni en México ni en España. No en México, porque allí los criollos, aun haciendo la eterna desdicha de su país, lo que deseaban con fervor era expulsar a toda costa a los advenedizos (españoles y europeos). No en España, porque al margen de que no existe nación que se resigne a ofrecer la otra mejilla (perder sus más ricas posesiones de ultramar) sin presentar violenta resistencia, había excesiva animosidad, demasiado encono y, por decirlo de alguna forma, estaba superlativamente sobreexcitado el patriotismo como para reconocer la independencia criolla, aun considerando las ventajas ofertadas y las que hubieran podido obtenerse. Igual en México que en España, cuando se interpretó concreta y coherentemente la filosofía de ese pensamiento, ya era tarde. No sin razón dice, un distinguido historiador de la revuelta mexicana, *que el tiempo y las desgracias han hecho conocer, como* Iturbide *había previsto, el mérito e importancia del* Plan de Iguala, *que ha tenido más adictos cuando ha venido a ser impracticable que en la época en que se promulgó.*

No era don Agustín amigo de perder el tiempo, así que, declarado en rebeldía, se dirigió al mismo virrey; al regente de la Audiencia, Miguel Bataller; al general Cruz, al brigadier Negrete, a Fonté, arzobispo de México; a Cabañas, obispo de Guadalajara, y a todos los europeos y americanos de cierta relevancia, invitándoles a que aprobaran su plan y tomaran parte en el movimiento iniciado que consideraba ya irresistible e irreversible. Revelan estas epístolas el verdadero talento de su autor, porque el lenguaje en ellas utilizado se adecuaba con singular delicadeza a la posición, sentimientos, idiosincrasia, ambiciones y/o aficiones, de cada uno de los destinatarios.

Iturbide advirtió a los comisionados portadores de tales misivas que la última en ser entregada fuera la del virrey, a fin de que éste no sospechara que se enviaran al mismo tiempo las otras y dispusiera el secuestro. Cuando recibió la suya el arzobispo Fonte, en que se le incluía copia de la destinada al virrey, fue al encuentro de Apodaca al instante, de modo que cuando el padre Piedras (siempre los frailes estuvieron presentes en esta insurrección), comisionado de Iturbide, se presentó en palacio para cumplir su encargo, el virrey se negó a recibir el pliego y dirigió el mismo día a Agustín el siguiente comunicado:

> *El padre Piedras se me ha presentado hoy a la una con un pliego de V.S., cuyo sobrescrito tiene la advertencia de* particular. *Por aquélla, y por haberme impuesto el referido padre de su contenido, no puedo abrirlo ni lo abro, manifestando a V.S. en sólo este hecho cuanto cabe sobre su inconstitucional proyecto de independencia. Espero, pues, que V.S. lo separe inmediatamente de sí, y la prueba de ello será seguir en su fidelidad al rey y en observar la Constitución que hemos jurado, y continuar la conducta que a vuestra categoría militar corresponde, custodiando hasta Acapulco la seguridad del convoy que se os encomendó, para seguir las operaciones castrenses que os tengo ordenadas, dirigidas a la total pacificación de este reino.*

Aunque el virrey envió cerca del padre y esposa de Iturbide a una persona de confianza para asegurarles que ellos nada tenían que temer, cosa que agradeció en extremo el insurrecto de Iguala, éste se inquietó por la contestación digna del virrey y la noticia de estarse reuniendo fuerzas en las inmediaciones de la capital de México. Se dirigió entonces Iturbide a Fernando VII y a las Cortes españolas, informándoles puntualmente de lo ocurrido y remitiendo copia del plan de independencia y de las comunicaciones dirigidas a Apodaca.

Le decía al rey que los sublevados no procedían por desamor o infidelidad a su regia persona y familia, sino por sentimiento de verlo tan lejos, por lo que le suplicaba que admitiera su proyecto, que atendía al mismo tiempo a la fidelidad debida a la corona y a la ventura del pueblo mexicano.

Hacía a las Cortes la historia exahustiva de los sucesos de 1810 y la descripción del estado presente de México, concluyendo en estos términos:

> *Finalmente, señor, la separación de la América Septentrional es inevitable; los pueblos que han querido ser libres, lo han sido sin remedio; llena está la historia de estos ejemplos, y nuestra generación los ha visto recientemente materiales. Hágase, pues, señor, si debe ser, sin el precio de la sangre de una misma familia; salga el glorioso decreto del centro de la sabiduría, y sean los padres de la patria los que sancionen la pacífica separación de la América. Venga, pues, un soberano de la gran casa de Fernando VII a ocupar aquí el trono de felicidad que le preparan los sensibles americanos y establézcanse entre los dos augustos monarcas, en unión de los soberanos Congresos, las más estrechas relaciones de amistad, pasmando al mundo entero con su dulce separación.*

Ni las Cortes ni el rey tenían para qué entenderse con Iturbide y nada le contestaron, pero no por eso dejaron de tomarse medidas para salvar aquella sagrada herencia de tres siglos que se les iba de entre las manos. Entregado el reino a la más completa de las anarquías, convertido todo café en un club revolucionario, infestado el país de sociedades patrióticas y logias secretas que llamaban reaccionario al mismísimo Argüelles, perseguidos por el desprecio y la hostilidad de Europa, amenazados de una intervención, se desafiaba con fanfarronadas diplomáticas, divididos los ánimos, conspirando los unos por la reacción, por la revolución otros, la fiebre política dominaba en todos, y nadie veía con claridad que, entre tanto, se consumaba la ruina española en América. Se dice que, así como Fernando VII tuvo el pensamiento de escaparse de España trasladándose a México, en donde favorecían esta idea el gran número de castellanos opuestos a la Constitución de 1812, todo el clero y las autoridades, aparte de los muchos mexicanos que a la sazón pensaban como Iturbide, los liberales españoles, en previsión de otra proscripción tan brutal como la de1814, querían prepararse una retirada segura, un puerto de refugio en México independiente, a la manera que lo pretendió con calaveresco heroísmo, pero traidor a la patria, un valeroso guerrillero en lances contra el francés, Espoz y Mina, sobrino del que llegó a general en España. La historia no cuenta con suficientes datos fiables para asegurar lo que se decía así de los absolutistas como de los liberales españoles, ni conoce a ciencia cierta las medidas que adoptaron el Gobierno y las Cortes liberales para retener la rica joya que amenazaba seriamente con separarse de la corona castellana. Todas las esperanzas españolas en este período para conservar México en la obediencia de España estaban cifradas en O'Donojú, general célebre por el radicalismo de sus ideas, nombrado para mandar en tierras criollas por sugerencia americana y especialmente de Ramos Arizpe, entonces de gran influencia por haber estado preso mucho tiempo durante la ominosa reacción última, y antes y después y siempre acendrado enemigo de España, como que, andando el tiempo y ya vuelto a su tierra y pese a su carácter eclesiástico, salía trabuco en mano a matar gachupines. O'Donojú llegó a México, y aunque se tenga por calumnioso el rumor de que estaba previamente comprometido con la independencia de Iturbide, de donde le venía la singular protección de los mexicanos que residían en España, como iba muy cargado de libertades, pero sin un soldado con que hacer respetar el gobierno español, en el mismo instante que pisó tierra se adelantó a tratar con Iturbide y a reconocer la independencia proclamada, pasando por indignas humillaciones de las que es preferible esconder tras tupido velo.

Iturbide en campaña. Santa Ana, Bravo y Negrete.—Puesta ya en marcha la maquinaria humana y bélica de los insurgentes, era imprescindible plantar cara a Iturbide y comprometer en favor de España las fuerzas comandadas por Liñán, haciendo fuego sobre el enemigo y jugándose el todo por el todo en un supremo trance de guerra, en la inteligencia de que mejor adiestradas, efectivas y numerosas eran las tropas que estaban bajo el mando del general español, por encima de que las abanderaba el coronel mexicano, y que de otro modo no había salvación para la causa castellana en México, sin un milagro visible de la Providencia, cuya intervención en lances humanos no suele prodigarse asiduamente, si bien que en todos los tiempos tanto necesitó de ella la eterna imprevisión e improvisación española. Pero las cosas no se hicieron como debían hacerse y entonces Iturbide, para ganar tiempo y propagar la revolución, tuvo la brillante idea de dirigirse a la tierra del caliente Sur, adueñándose del Bajío de Guanajuato, asegurándose la fidelidad de sus tropas fomentando escandalosas promociones, en virtud de las cuales, y como por arte de magia, *hoy eras capitán y mañana coronel,* y así sucesivamente por lo que se refería a las demás clases subalternas, con lo cual, si aumentaba las posibilidades de triunfo para su empresa, empezaba así mismo a sembrar los gérmenes de la disolución del ejército y los eternos pronunciamientos en que éste había de ser actor principal, cuando no único, para eterna desdicha del pueblo mexicano.

Desde este momento no hubo más que apostasías, deslealtades y traiciones para la causa española. Aquí se sublevaba una ciudad, allá volvían a tomar las armas los insurgentes indultados... El capitán graduado Manuel López Santa Ana, ascendido a teniente coronel por Apodaca, se pasaba poco más tarde a Iturbide, viendo la causa real perdida, movido por aquella ansia inextinguible de medros que distingue a buen número de militares, leales y traidores, alternativamente a todas las causas, siempre de acuerdo con sus intereses y ambiciones personales; las elecciones a diputados para las Cortes de 1822/1823 favorecían a los eclesiásticos enemigos de España, porque ya se ha dicho que en México había general oposición a las reformas religiosas que se intentaban entre los españoles, y la imprenta, que es un ariete formidable de destrucción (sin lanzar una sola bala ni hacer retumbar los cañones), no cesaba de vomitar horrores contra la madre patria, burlándose de la Junta de Censura y excitando a la sedición con títulos alarmantes de las diarias publicaciones, que se anunciaban con gran vocerío por las calles; Bravo, otro indultado de gran valor, remuente primero a las insinuaciones de Iturbide, acabó volviéndole la espalda a España; los castellanos, conducidos por el bizarro Hebia, sitiaron y atacaron Córdoba, pero atravesado este héroe por un plomazo cuando dirigía la línea de tiro de un cañón para ensanchar la brecha abierta, y rodeados de enemigos por doquier, tuvieron que replegarse hacia Puebla, sosteniendo un combate diario; Santa Ana tomó Jalapa y, no encontrando quien se le opusiera, se atrevió a llegar en sus correrías hasta las mismas puertas de Veracruz. En vano Márquez Donallo, que mandaba la vanguardia del ejército del Sur, ahuyentaba a Guerrero penetrando en Acapulco y limpiando de enemigos la senda que conducía al puerto; en vano Huber, con un puñado de soldados y con los mozos de una de las haciendas de la casa de Yermo (nombre grato a cuantos españoles conocen la historia de México), derrotaba a Pedro Asensio, que sitiaba a Petecala, matando a este terrible insurgente el bravo castellano Francisco Aguirre, que defendía Yermo. En vano se conseguía rechazar a Santa Ana de Veracruz, pues por aquella demarcación no quedaba en poder español más que el recinto de la propia plaza y el castillo de San Juan de Ulúa.

Como era lógico y de suponer, Iturbide no estaba ocioso desde luego, consiguiendo detener al general Cruz, que mandaba en Guadalajara, atrayendo para su causa al brigadier Negrete, militar castellano que tenía una columna a sus órdenes. Luego se presentó en Valladolid entablando desde las afueras de la ciudad negociaciones con el coronel Quintana, que mandaba en ella y que, después de declarar a Iturbide en respuesta *que sus obligaciones más sagradas y su honor estaban en contradicción con la propuesta recibida, y que aquella plaza no reconocía más Gobierno que el legítimo* (protesta de lealtad que venía en pos de otras no menos solemnes, públicas y privadas, hechas al virrey), acabó tomando una actitud bien estrafalaria, que venía a ser en el fondo una auténtica traición, porque en presencia del enemigo, y casi en el mismo instante en que se iniciaban las hostilidades, llamó reservadamente a uno de los jefes de la plaza y le hizo entrega de ella para que obrara como tuviera por conveniente, conducta que seguía para salvaguardar el honor militar y que le hacía más despreciable y odioso, porque, luego de tan escandalosa deserción, las tropas tenían que capitular, como en efecto hicieron. Al mismo tiempo que Valladolid caía en manos de Iturbide, la importantísima plaza de Guadalajara se pronunciaba por la independencia, movida la guarnición por las intrigas de aquél y apoyada, sobre todo, por la actitud de Negrete, español renegado, que fue traidor a su patria para convertirse en satélite de Iturbide y después fue traidor a éste para convertirse en campeón de la República, y que acabó siendo expulsado de México por gachupín, muriendo en tierra extraña, lejos de la patria, en donde su nombre inspiraba horror y desprecio, y lejos de México así mismo, en donde no inspiraba la menor confianza por sus orígenes hispanos, de los que torpemente había apostatado.

De todas las provincias del interior sólo quedaba en poder del Gobierno español la importante plaza de Querétaro, y ésta, que se comunicaba con la capital, apoyada en la posesión de San Juan del Río, bien pronto tuvo que sucumbir, tomada por las fuerzas de Iturbide. El brigadier Luaces, que mandaba en Querétaro, tuvo que capitular, pero lo hizo con dignidad, valor e hidalguía, como correspondía a un militar de su rango y alcurnia; el golpe era terrible, y si se une a que con éste vino a coincidir la sublevación de los poblados internos de Oriente, resultaba que el poder de España en México había llegado a su fin. Sólo quedaba Veracruz en la costa, medio sitiada por Santa Ana; a Durango, que tenía enfrente a Negrete, y a Puebla, sitiada así mismo por Bravo, adonde se dirigía a toda marcha Iturbide para apresurar las operaciones del sitio y, con todas sus tropas ya desembarazadas, sin dejar enemigos a la espalda, dirigirse a la capital para dar el golpe definitivo.

Entrada de Iturbide en Puebla. Un obispo, paradigma del cinismo.—Estrechada Puebla con gran número de efectivos, clamando el paisanaje por la rendición, no habiendo podido auxiliar en nada a los sitiados el coronel Manuel de la Concha, que con este objetivo había partido desde México al frente de una nutrida división y que, después de moverse con actividad febril en todas direcciones, por lo que se le puso el ridículo mote de *la trajinera*, tuvo que retirarse a su lugar de procedencia, teniendo que capitular el brigadier Llano, que mandaba en Puebla, aunque lo hizo en las honrosas condiciones siguientes: *Salida de las tropas expedicionarias con los honores militares, retirada de las mismas a Tehuacán, aparte de aquellos individuos que se unieran a los insurgentes, y compromiso de pagar los mexicanos los haberes de aquéllas, lo mismo que su transporte hasta La Habana.*

Iturbide, que tenía espíritu de histrión y sentía auténtica debilidad por la parafernalia decorativa y un tanto cómica, no entró en Puebla hasta que estuvo todo dispuesto para que la recepción fuera espectacular, entusiasta y solemnísima. Y lo fue, efectivamente: el pueblo se acercaba para verle, en el aire tremolaban los vivas, de cuando en cuando se asomaba a los balcones del palacio episcopal, donde se alojó, para satisfacer la curiosidad pública y alimentar su *ego*, y entre los aplausos de la muchedumbre le pedían todos al unísono el restablecimiento de los jesuitas, al paso que algunos allegados a Iturbide, no sabemos si discretos o indiscretos, pero exégetas eso sí del flamante caudillo independentista, clamaban en desafinado coro: *¡Viva don Agustín!*

Hubo una función extraordinaria en la catedral para celebrar la jura de la independencia, pronunciando un sermón intencionadísimo el obispo Pérez. Él, que tanto había adulado a los españoles, calumniaba negrísimamente su dominación en México; él, que fue el último presidente de las Cortes de 1812, las vilipendiaba ahora; él, que llegó al obispado por la infamia cometida firmando la expoliación de los *persas* y por sus lamentables adulaciones a Fernando VII, preparaba ya los ánimos para facilitar la exaltación de Iturbide; él, en fin, hombre mundano, cuya vida era un tejido de vilezas políticas y hasta de livianas concupiscencias con que satisfacer sus bajas pasiones carnales (19), declaraba *modesta* y farisaicamente que era un hombre absorto en la contemplación de los caminos ocultos y, dirigiéndose a Iturbide, le dijo: *No hace un año que apenas quedaban de los pasados conatos de independencia unos miserables restos, y en cinco meses tal vez no llegan a cuatro los pueblos del Septentrión en*

(19) Se cuenta que llegó a México acompañado de dos buenas mujeres de pechos exuberantes y exageradas nalgas, aunque se trata de un hecho nunca confirmado fehacientemente.

que no esté proclamada esta misma independencia. Uno de los caudillos más valerosos que entonces la perseguían por cruel y sanguinaria, es el general que hoy la corrige y dulcifica, la suaviza y perfecciona. ¡Proseguid en vuestra empresa, hijo de la dicha y la victoria! Prestaos con docilidad a los altos designios que tiene sobre vos y por vos la eterna Providencia, entre tanto que nosotros, humildemente, la bendecimos, satisfechos con la parte que nos ha correspondido en un bien tan inestimable, que no deja lugar al arrepentimiento de poseerlo, y que nos hará eternamente reconocidos para cantar a todas horas con el Profeta. Quebróse el lazo y nosotros quedamos en libertad: Laqueus contrilus est, et nos liberati sumus.

No hay nadie, ni aun entre los militares, siempre proclives, salvo excepciones honrosas, a servir alternativamente todas las causas habidas y por haber con tal de conseguir honores, ascensos y dinero, como un eclesiástico sin conciencia para convertirse en auténtico paradigma del cinismo. De esta manera fueron el militar adulado y el clérigo adulador, Iturbide y Pérez, las *estrellas* del sermón de Puebla: el primero, azote ayer de la independencia e ídolo de los virreyes españoles, poco después azote de España e ídolo independentista; Pérez, el familiar de Fernando VII, presidente de las Cortes de Cádiz, martillo de herejes, protegido y protector de los españoles, apóstol ahora de la independencia, tiralevitas y consejero de Iturbide y el que gritaba con el Profeta desde el sagrado púlpito de la catedral de Puebla: *Laqueus contrilus est, et nos liberati sumus.*

Conferencia entre Iturbide y O'Donojú en la villa de Córdoba.— Rendida Puebla, Iturbide, con las tropas que concurrieron a este sitio y con las que había obligado a capitular en Querétaro, dispuso marchar sobre México, pero no pudo hacerlo por sí, porque en aquellos días (30 de julio de 1821) tuvo lugar la llegada a Veracruz de Juan O'Donojú, nombrado por Fernando VII capitán general para aquel país.

O'Donojú llegaba sin fuerzas y se encontraba con una insurrección por todas partes victoriosa. Nada podía hacer realmente para

TEXTO ÍNTEGRO DEL TRATADO DE CÓRDOBA

«Pronunciada por Nueva España la independencia de la antigua, teniendo un ejército que sostuviese este pronunciamiento, decididas por él las provincias del reino, sitiada la capital, en donde se había depuesto a la autoridad legítima, y cuando sólo quedaban por el Gobierno europeo las plazas de Veracruz y Acapulco, desguarnecidas y sin medios de resistir un sitio bien dirigido y que durase algún tiempo, llegó al primer puerto el teniente don Juan O'Donojú, con el carácter y representación de capitán general y jefe superior político de este reino, nombrado por S. M. C., quien, deseoso de evitar los males que afligen a los pueblos en alteraciones de esta clase, y tratando de conciliar los intereses de ambas Españas, invitó a una entrevista al primer jefe del ejército imperial, don Agustín de Iturbide, en la que se discutiese el gran negocio de la independencia, desatando sin romper los vínculos que unieron a los dos continentes.

Verificóse la entrevista en la villa de Córdoba el 24 de agosto de 1821, y con la representación de su carácter el primero, y la del imperio mexicano el segundo, después de haber conferenciado detenidamente sobre lo que más convenía a una y otra nación atendido al estado actual y las últimas ocurrencias, convinieron en los artículos siguientes, que firmaron por duplicado para darles toda la consolidación de que son capaces esta clase de documentos, conservando un original cada uno en su poder para mayor seguridad y validación:

1.º Esta América se reconocerá por nación soberana e independiente, y se llamará en lo sucesivo «Imperio Mexicano».

2.º El gobierno del Imperio será monárquico constitucional moderado.

3.º Será llamado a reinar en el Imperio Mexicano, previo el juramento que designa el art. 4.º del plan, en primer lugar el señor don Femando VII, rey católico de España, y por su renuncia o no admisión, su hermano el serenísimo señor infante don Carlos; por su renuncia o no admisión, el serenísimo señor infante don Francisco de Paula; por su renuncia o no admisión, el serenísimo señor don Carlos Luis, infante de España, antes heredero de Etruria, hoy de Luca, y por renuncia o no admisión de éste, el que las Cortes del Imperio designen.

4.° El emperador fijará su corte en México, que será la capital del Imperio.

5.° Se nombrarán dos comisionados por el excelentísimo señor O'Donojú, los que pasarán a la corte de España a poner en las reales manos del señor don Femando VII copia de este tratado y exposición que le acompañará, para que sirva a S. M. de antecedente mientras las Cortes le ofrecen la corona con todas las formalidades y garantías que asuntos de tanta importancia exigen, y suplican a S. M. que en el caso del art. 3.° se digne noticiarlo a los serenísimos señores infantes llamados en el mismo artículo, por el orden que en él se nombran, interponiendo su benigno influjo para que sea una persona de las señaladas de su augusta casa la que venga a este imperio, por lo que se interesa en ello la prosperidad de ambas naciones y por la satisfacción que recibirán los mexicanos en añadir este vínculo a los demás de amistad con que podrán y quieren unirse a los españoles.

6.° Se nombrará inmediatamente, conforme al espíritu del Plan de Iguala, una Junta compuesta con los primeros hombres del Imperio, por sus virtudes, por sus destinos, por sus fortunas, representación y concepto, de aquellos que están designados por la opinión general, cuyo número sea bastante considerable para que la reunión de luces asegure el acierto en sus determinaciones, que serán emanaciones de la autoridad y facultades que les concedan los artículos siguientes.

7.° La Junta de que trata el artículo anterior se llamará Junta Provisional Gubernativa.

8.° Será individuo de la Junta provisional de gobierno el teniente general don Juan O'Donojú, en consideración a la conveniencia de que una persona de su clase tenga una parte activa e inmediata en el gobierno y de que es indispensable omitir algunas de las que estaban señaladas en el expresado plan en conformidad de su mismo espíritu.

9.º La Junta Provisional de Gobierno tendrá un presidente nombrado por ella misma, y cuya elección recaerá en uno de los individuos de su seno o fuera de él, que reúna la pluralidad absoluta de sufragios, lo que, si en la primera votación no se verificase, se procederá a segundo escrutinio, entrando a él los dos que hayan reunido más votos.

10. El primer paso de la Junta Provisional de Gobierno será hacer un manifiesto al público de su instalación y motivos que la reunieron, con las demás explicaciones que considere convenientes para ilustrar al pueblo sobre sus intereses y modo de proceder en la elección de diputados a Cortes, de que se hablará después.

11. La Junta Provisional de Gobierno nombrará en seguida de la elección de su presidente una Regencia compuesta de tres personas de su seno o fuera de él, en quien residirá el poder ejecutivo, y que gobierne en nombre del monarca, hasta que éste empuñe el cetro del Imperio.

12. Instalada la Junta Provisional, gobernará interinamente conforme a las leyes vigentes en todo lo que no se oponga al Plan de Iguala, y mientras las Cortes formen la Constitución del Estado.

13. La Regencia, inmediatamente después de nombrada, procederá a la convocación de Cortes conforme al método que determine la Junta Provisional de Gobierno, lo que es conforme al espíritu del art. 24 del citado plan.

14. El poder ejecutivo reside en la Regencia, el legislativo en las Cortes; pero como ha de mediar algún tiempo antes que éstas se reúnan, para que ambos no recaigan en una misma autoridad, ejercerá la Junta el poder legislativo: primero, para los casos que puedan ocurrir y que no den lugar a esperar la reunión de las Cortes, y entonces procederá de acuerdo con la Regencia; segundo, para servir a la Regencia de cuerpo auxiliar y consultivo en sus determinaciones.

15. Toda persona que pertenece a una sociedad, alterado el sistema de gobierno, o pasando el país a poder de otro príncipe, queda en el estado de libertad natural para trasladarse con su fortuna a donde le convenga, sin que haya derecho para privarle de esta libertad, a menos que tenga contraída alguna deuda con la sociedad a que pertenecía, por delito, o de otro de los modos que conocen los publicistas: en este caso están los europeos avecindados en Nueva España y los americanos residentes en la Península; por consiguiente, serán árbitros a permanecer adoptando esta o aquella patria, o a pedir su pasaporte, que no podrá negárseles, para salir del Imperio en el tiempo que se prefije, llevando o trayendo sus familias y bienes, pero satisfaciendo a la salida por los últimos los derechos de exportación establecidos, o que se establecieren por quien pueda hacerlo.

16. No tendrá lugar la anterior alternativa respecto de los empleados públicos o militares que notoriamente son desafectos a la independencia mexicana, sino que éstos, necesariamente, saldrán de este Imperio dentro del término que la Regencia prescriba, llevando sus intereses y pagando los derechos de que habla el artículo anterior.

17. Siendo un obstáculo a la realización de este tratado la ocupación de la capital por las tropas de la Península, se hace indispensable vencerlo; pero como el primer jefe del ejército imperial, uniendo sus sentimientos a los de la nación mexicana, desea no conseguirlo por la fuerza, para lo que le sobran recursos, sin embargo del valor y la constancia de dichas tropas peninsulares, por la falta de medios y arbitrios para sostenerse contra el sistema adoptado por la nación entera, don Juan O'Donojú se ofrece a emplear su autoridad para que dichas tropas verifiquen su salida sin efusión de sangre y por una capitulación honrosa.

Villa de Córdoba, 24 de agosto de 1821.

Agustín de Iturbide.-Juan O'Donojú.-Es copia fiel de su original.-José Domínguez.»

recuperar aquellos dominios. Así que en las proclamas que dirigió al ejército y al pueblo mexicano se advertía un tono suplicante que denotaba una abierta falta de valentía y dignidad. Sólo pedía O'Donojú que se le escuchara y se esperara la resolución de las Cortes que iban a conceder la representación que se pretendía: *¡Pueblos y ejército! Soy solo y sin fuerza* —clamaba lastimeramente O'Donojú—. *No puedo causaros ninguna hostilidad; si las noticias que os daré, si las reflexiones que os haré presentes no os satisfacen, si mi gobierno no llenara vuestros deseos de una manera justa que merezca la aprobación general y que concilie las ventajas recíprocas que se deben estos habitantes y los de Europa, a la menor señal de disgusto, yo mismo os dejaré tranquilamente elegir el jefe que creáis os conviene, concluyendo ahora con indicaros que soy vuestro amigo y que os es de la mayor conveniencia suspender los proyectos que habéis emprendido, al menos hasta que lleguen de la Península los correos que salgan después de mediados de junio anterior. Quizá esta suspensión que solicito se considerará por algunos, faltos de noticias y poseídos de siniestras intenciones, un ardid que me dé tiempo a esperar refuerzos, pero ése es un temor infundado; yo respondo de que jamás se verifique ni sea ésta la intención del gobierno paternal que actualmente rige. Si sois dóciles y prudentes, aseguráis vuestra felicidad en la que el mundo entero se halla interesado.*

Quien así se expresaba, lejos de inspirar temor a Iturbide y a los amigos de la independencia, debía inspirarles total y absoluta confianza. No le costó ninguna dificultad entenderse con Santa Ana, que vagaba con sus tropas por los alrededores de Veracruz, y todavía le costó menos entenderse con Iturbide. De dos maneras se dirigió a él con este objeto: oficialmente llamándole *excelencia* y reconociéndole el carácter de *jefe del ejército imperial de las Tres Garantías*, y en privado llamándole *amigo*, cuyo título deseaba merecer como una honra. En ambas comunicaciones manifestó O'Donojú que había aceptado el cargo de capitán general de México a ruegos de sus amigos los americanos, tan decididos por la felicidad de su patria y que, a pesar de las novedades que había encontrado, podría remediarse todo aún, llevando a efecto las ideas que Iturbide propuso al conde del Venadito en la carta en que le remitió el *Plan de Iguala*.

Para conseguir esto, O'Donojú pedía a Agustín un salvoconducto para llegar a la capital, desde donde concertaría con él *las medidas necesarias para evitar toda desgracia, inquietud y hostilidad, entre tanto el rey y las Cortes aprobaban el tratado que celebraran y por el que tanto había anhelado Iturbide.*

El jefe de los mexicanos aceptó complacido la proposición, porque esperaba, de esta manera, abrirse las puertas de la capital, cosa que tanto le interesaba, sin sacrificio alguno, no obstante lo cual, cuando Iturbide le escribió a O'Donojú diciéndole que podrían entrevistarse en la villa de Córdoba, se daba aires generosos con los españoles, en favor de los cuales el nuevo capitán general podía obtener ventajas que no se concederían a Novella, *pues, aislado, sin recursos para defenderse y sin otra representación que la que le había dado una docena de hombres sublevados, infractores de las mismas leyes de España, en cuyo interés fingían obrar, no tenía la representación que era precisa para entrar en convenios legales y subsistentes.*

En su virtud, Iturbide y O'Donojú se dirigieron a Córdoba, adonde llegaron hacia finales de agosto, acompañado el segundo de una escolta que le facilitó Santa Ana y que le convertía en prisionero de guerra más que en virrey, y siguiendo al primero lo mejor de sus tropas, siendo recibido en Córdoba con transportes de júbilo. *Dada la buena armonía con que nos conducimos en este negocio, supongo que será muy fácil cosa que desatemos el nudo sin romperlo,* dijo Iturbide al capitán general enviado por Fernando VII; en efecto, O'Donojú aceptó sin resistencia alguna el borrador que se le presentaba del que se llamó *Tratado de Córdoba* (el lector encontrará encuadrado, dentro de este mismo cuaderno, el texto íntegro y firmado por las partes implicadas del susodicho pacto).

¿Quién ganaba con la capitulación? ¿Qué ventajas le reportaba a España? Absolutamente ninguna que no estuviera reconocida con espontaneidad por Iturbide en el *Plan de Iguala*. Allí sólo había un único y exclusivo ganador: EL JEFE INDEPENDENTISTA MEXICANO. Por esta *entente cordiale* Iturbide conseguía dividir más y más a los que aún sostenían en México la causa del Gobierno; obligaba a O'Donojú a que le abriera, sin necesidad de combatir, las puertas de la capital, de la que tan preciso le era apoderarse para obtener los recursos que le faltaban, lo cual, prolongándose la resistencia, hubiera sido causa de división entre los independentistas, y por último, conseguía abrirse cautelosamente el camino del trono, por la esencial alteración hecha en el artículo del *Plan de Iguala* que se refería al llamamiento de las personas que debían ocuparlo. Era innegable que O'Donojú no estaba revestido de la autoridad necesaria para rubricar un *contrato* como el que firmó; y es indiscutible que, aun teniéndola, el documento estaba exento de valor si Fernando VII y las Cortes no lo ratificaban; pero de todo prescindía Iturbide, porque él era quien iba ganando y se introducía con tan inesperada buena suerte en la capital de México, así como se allanaba no menos fácilmente el acceso al trono.

Se nos antoja innecesario recrearnos en el devenir de las postrimerías de la dominación española en México porque, a estas alturas, nos parece tan absurdo como innecesario. Y aquí ni siquiera cabía aquello de que *de lo perdido saca lo que puedas*. O'Donojú al final y otros muchos «O'Donojús» con anterioridad consiguieron que España lo perdiera todo, absolutamente todo..., hasta el honor.

Entrada de Iturbide en México.—Desde luego que el arribo de Iturbide a la capital fue apoteósico en grado superlativo. Algo rayano en el frenesí, en la histeria ovacionista, en el aplauso enloquecido... Venía a la cabeza del ejército modestamente ataviado, sin distintivo militar alguno, llamando por ello mucho más la atención y contrastando con el lucido Estado Mayor y relevantes protagonistas que le acompañaban. Le recibió el Ayuntamiento en pleno a las puertas de la ciudad, y O'Donojú, con la Diputación Provincial y demás autoridades y corporaciones, en el palacio de los virreyes, desde cuyo balcón principal ambos presenciaron el desfile de las tropas. Pasó luego Iturbide a la catedral, en donde debía celebrarse el *Tedéum*, pero el entusiasmo del populacho apenas si le dejaba avanzar mientras todo eran gritos y vítores, vivas y aplausos ensordecedores, y así como pudo, pisando una alfombra de flores, pudo por fin el caudillo de la independencia encontrarse con el arzobispo, vestido de pontifical, y cantado el *Tedéum* y pronunciado un discurso por el doctor Alcocer, diputado que fuera de las Cortes de Cádiz y ahora corifeo de la independencia, volvieron todos a palacio, donde el Ayuntamiento tenía dispuesto un banquete de doscientos cubiertos en el que, como era lógico y natural, se llegó a las cotas máximas de los panegíricos y el entusiasmo.

Leamos ahora la proclama que al entrar en México dirigió Iturbide al pueblo —a los pueblos—, a la masa enfebrecida que lo aclamaba, anunciando el fin de su empresa:

> *Mexicanos: Ya estáis en el caso de saludar a la patria independiente, como os anuncié en Iguala; ya recorrí el inmenso espacio que hay desde la esclavitud a la libertad y toqué los diversos resortes para que todo americano manifestase su opinión escondida, porque en unos se disipó sin el temor que los contenía y en otros se moderó la malicia de sus juicios, y en todos se consolidaron las ideas; y ya me veis en la capital del imperio más opulento, sin dejar atrás ni arroyos de sangre, ni campos talados, ni viudas desconsoladas, ni hijos desgraciados que llenen de maldiciones al asesino de su padre; por el contrario, recorridas quedan las principales provincias de este reino, y todas, uniformadas en la celebridad, han dirigido al ejército trigarante vivas expresivos, y al cielo votos de gratitud; estas demostraciones daban a mi alma un placer inefable y compensaban con demasía los afanes, las privaciones, la desnudez de los soldados, siempre alegres, constantes y valientes.*
>
> *Ya sabéis el modo de ser libres; a vosotros os toca el señalar el de ser felices. Se instalará la Junta; se reunirán las Cortes; se sancionará la ley que debe haceros venturosos, y yo os exhorto a que olvidéis las palabras alarmantes de exterminio, y sólo pronunciéis unión y amistad íntima.*
>
> *Contribuid con vuestras luces y ofreced materiales para el magnífico Código, pero sin la sátira mordaz ni el sarcasmo malintencionado; dóciles a la potestad del que manda, com-*

pletad con el soberano Congreso la grande obra que empecé y dejadme a mí que, dando un paso atrás, observe atento el cuadro que trazó la Providencia y que debe retocar la sabiduría americana; y si mis trabajos, tan debidos a la patria, los suponéis dignos de recompensa, concededme sólo vuestra sumisión a las leyes, dejad que vuelva al seno de mi amada familia, y de tiempo en tiempo haced una memoria de vuestro amigo.-Iturbide.

Acta de Independencia de México.—A lo largo de esta biografía nos hemos referido —unas veces puntual y ampliamente y otra de forma somera, a vuela pluma— a los amigos y enemigos de la independencia, de españoles y mexicanos. Triunfantes en toda línea, sólo cabe ahora hablar de los primeros. Fenecido pues el dominio español, muchos supusieron erróneamente que se inauguraba una etapa de oro para México, ajenos todos a la realidad, ajenos al cercano, próximo estallido de luchas, miserias, apostasías, traiciones y deslealtades que iban a surgir entre los mismos vencedores, en mayor abundancia incluso que en el último período colonial, como si, conseguida la independencia, que teóricamente debía ser el lazo de unidad para todos, cada cual se enfrascara en el triunfo personal de sus ambiciones y egoísmos a cualquier precio, a costa de lo que fuera y de quien fuera, haciendo verdad en ésta como en tantas y tantas revoluciones de la que es fiel notario la propia humanidad, aquellas profundas palabras del historiador romano: *faciliorem inter malos consensu ad bellum quam in pace concordiam* (20).

Se procedió a constituir el poder supremo que, conforme al *Tratado de Córdoba*, debía estar representado en una Junta provisional. Tuvieron cabida en ella todos los partidos por medio de sus personajes más notables. Desde el principio de la revolución, y más aún desde Córdoba, venía elaborándose esa idea de conciliación,

(20) *Más fácil es a los ruines concertarse para tener la guerra que para gozar la paz.* Tácito: *Anales.*

que fue la que triunfó, bien que la armonía del momento no pudiera sostenerse largo tiempo y contuviera en su seno el germen de graves dualismos y de futuras tempestades.

Esta Junta Provisional de Gobierno se constituyó en forma el 28 de septiembre y, una vez instaurada, su primer acto fue expedir el siguiente documento:

ACTA DE INDEPENDENCIA DEL IMPERIO MEXICANO

La nación mexicana, que por trescientos años ni ha tenido voluntad propia ni libre el uso de la voz, sale hoy de la opresión en que ha vivido.

Los heroicos esfuerzos de sus hijos han sido coronados, y está consumada la empresa, eternamente memorable, que un genio superior a toda admiración y elogio, amor y gloria de su patria, principió en Iguala, prosiguió y llevó a cabo arrollando obstáculos casi insuperables.

Restituida, pues, esta parte del Septentrión al ejercicio de cuantos derechos le concedió el Autor de la naturaleza, y reconocen por innegables y sagrados las naciones cultas de la tierra, su libertad de constituirse del modo que más convenga a su felicidad, y con representantes que puedan manifestar su voluntad y sus designios, comienza a hacer uso de tan preciosos dones y declara solemnemente, por medio de la Junta Suprema del Imperio, *que es nación soberana e independiente de la antigua España, con quien en lo sucesivo no mantendrá otra unión que la de una amistad estrecha en los términos que prescriben los tratados; que entablará relaciones amistosas con las demás potencias, ejecutando respecto de ellas cuantos actos pueden y están en posesión de ejecutar las otras naciones soberanas; que va a constituirse con arreglo a las bases que en el* Plan de Iguala y Tratado de Córdoba *estableció sabiamente el primer jefe del ejército imperial de las* Tres Garantías; *y en fin, que sostendrá a todo trance y con el sacrificio de los haberes y vidas de sus individuos* (si fuera necesario) *esta solemne declaración, hecha en la capital del Imperio, a 28 de septiembre del año de 1821, primero de la independencia mexicana.* Agustín de Iturbide.-Antonio, obispo de

Puebla.-Juan O'Donojú.-Manuel de la Bárcena.-Matías Monteagudo.-José Yañez.-Licenciado Juan Francisco Azcárate.-Juan José Espinosa de los Monteros.-José María Fagoaga.-José Miguel Garidi Alcocer.-El marqués de Salvatierra.-El conde de Casa de Heras Soto.-Juan Bautista Lobo.-Francisco Manuel Sánchez de Tagle.-Antonio de Gama y Córdoba.-José Manuel Sartorio.-Manuel Velázquez de León.-Manuel Montes Argüelles.-Manuel de la Sota Riva.-El marqués de San Juan de Rayas.-José Ignacio García Illuesa.-José María de Bustamante.-José María Cervantes y Velasco.-Juan Cervantes y Padilla.-José Manuel Velázquez de la Cadena.-Juan de Horbegoso.-Nicolás Campero.-El conde de Jala y de Regla.-José María de Echevers y Valvidieso.-Manuel Martínez Mancilla.-Juan Bautista Ranz y Guzmán.-José María de Jáuregui.-José Rafael Suárez Pereda.-Anastasio Bustamante.-Isidro Ignacio de Icaza.-Juan José Espinosa de los Monteros, vocal secretario.

Resulta difícil de entender y admitir, por antinómico, increíble, absurdo y contradictorio (aunque en verdad estos términos no pasan de ser suaves eufemismos, ya que la actitud de quienes nombraremos seguidamente merecían —y merecen incluso hoy, 182 años después—, calificativos o expresiones mucho más duros, acres, lapidarios y contundentes, más ajustados a lo antipatriótico e inmoral de su deplorable conducta)... Resulta difícil, decíamos, y hasta parece imposible, que O'Donojú, que Monteagudo, que Bárcena, que los muchos españoles que formaban parte de la Junta suscribieran un documento por el que se declaraba a su patria la opresora de la nación mexicana durante tres siglos, hasta el punto de que ni aun el uso de la voz le había sido en ellos consentido.

Sin embargo, se escucha por ahí un refrán que dice, más o menos así: *en el mismo pecado llevarás la penitencia*. Y eso les ocurrió entonces a los españoles que se fiaron de Iturbide abrazando la traición a su país de origen y a su propia ideología; les sucedió lo que siempre a las clases conservadoras cuando se *apuntan* a las revoluciones: que se las halaga al principio (*modus operandi* de Iturbide en los inicios), porque se las necesita, y después, cuando el insurgente abraza el triunfo y la victoria, las humilla sistemáticamente o sistemáticamente las proscribe, bien que luego esas clases conservadoras hagan lo que los españoles de México, que se revuelven airadas y hunden en el fango al que fuera causa de su vejación y ruina.

Callaron, pues, entonces, los castellanos de la Junta Provincial de Gobierno, sin obstaculizar la marcha de Iturbide, como no despegaron tampoco los labios cuando, constituida la Regencia con Iturbide, O'Donojú, Manuel de la Bárcena (gobernador del obispado de Michoacán), José Isidro Yáñez (oidor de la Audiencia), Manuel Velázquez de León (secretario del virreinato), no se quiso aceptar la fórmula de que la Regencia gobernara por no estar presente Fernando VII, y se acordó esta otra: *La Regencia del Imperio, gobernadora interina por falta del emperador.*

Iturbide y la Junta Provisional.—Pocos días después de instalada la Junta murió O'Donojú de pleuresía, aunque se extendiera, sin razón alguna que lo justificara, al mismo tiempo, un cierto rumor que vinculaba la desaparición física del «virrey» con Iturbide, mancillando en cierto modo su reputación. O'Donojú, es un dato plenamente confirmado, falleció de muerte natural. Le reemplazó el obispo de Puebla, Pérez, y quedando vacante el cargo de presidente se le asignó a Fonte, obispo de México (como puede comprobarse en las altas magistraturas mexicanas, el clero aparecía por doquier), aunque éste, que no veía con buenos ojos la revolución consumada y no deseaba comprometerse con ella, declinó tal honra, pretextando la enfermedad por de pronto, alejándose posteriormente de la capital, trasladándose por último a Cuba, desapareciendo así del mapa político dibujado por Iturbide.

Al constituirse la Junta, Agustín se creó el fiscal de su conducta y el enemigo de sus planes; pero también la Junta, al nombrar generalísimo de todos los ejércitos a Iturbide de por vida, señalándole además un sueldo de 120.000 pesos anuales y regalándole, en prueba de gratitud nacional, un millón de pesos, asignado sobre los bienes del extinguido Santo Oficio, con una extensión de terreno de veinte leguas en cuadro en la provincia de Texas y, por si fuera poco todo eso, otorgándole el tratamiento de *Alteza Serenísima* (siendo este título, en opinión de un acreditado y experto escritor, la ruina de aquellos a quienes se les concede sin haber nacido sobre las gradas del trono)..., pero también la Junta, decíamos, con tantas y tan generosas prerrogativas otorgadas, creó un poder tan superior, tan fuera de lugar y tan anómalo dentro de una monarquía, que Iturbide, o había de acabar declarándose emperador, o hacía imposible aquélla sin necesidad de esfuerzo alguno, ya que su ambición no lo empujara a prescindir de la bandera izada para la revuelta independentista, y por la que fueron muchos miles los que secundaron que sí le empujaba, como era evidente en el *Tratado de Córdoba*, bien distinto al *Plan de Iguala*, en lo referido al llamamiento de las personas que debían ocupar el trono.

Iturbide y la Junta, como más adelante el Congreso lo fue en mayor escala, debían ser dos entidades antagónicas y rivales, cuando no abiertamente enemigas: la una, representación de toda la fuerza material del Imperio; la otra, de la fuerza moral. Procedió su *Alteza Serenísima* a formarse un Estado Mayor (a la medida, es obvio) en el ejército que le garantizara el dominio en toda clase de eventualidades, nombrando por de pronto un teniente general, tres mariscales de campo, nueve brigadieres y varios coroneles, anuncio de las escandalosas promociones que después se hicieron, dividiendo el Imperio en cinco capitanías generales que asignó, lógicamente, a sus correligionarios de la máxima confianza. La Junta, por su parte, en donde Iturbide tenía amigos decididos (como que por él habían sido nombrados), empezó por no ser tan sumisa, dócil y obediente como el generalísimo esperaba. El obispo Pérez, de Puebla, siempre dispuesto a todo tipo de adulaciones y *oportunista,* propuso que constara que, al constituirse por primera vez la Junta, se había nombrado presidente, por aclamación y unanimidad, a Iturbide, pero el español Fagoaga, uno de sus personajes más considerables, hablando en contra, manifestó: *Dígase que por unanimidad no demos este mal ejemplo, porque en lo sucesivo, en soltando esta voz y considerándose ya los demás sin libertad, se verán en el caso de convenir, aun en contra de su intención*. También Fagoaga se opuso a que Iturbide, ya presidente de la Regencia, lo fuera también de la Junta; en honor a la verdad con razones plausibles, porque de reunir en una sola persona ambos cargos, podría resultar gran confusión entre los poderes legislativo y ejecutivo: aquél ejercido por la Junta y éste por la Regencia.

Se hizo como Fagoaga pedía, es decir, nombrando a otro personaje presidente de la Junta. Pero para cicatrizar la herida abierta y sangrante en el amor propio de Iturbide, se acordó que *se le diera la presidencia, es decir, la preferencia en el lugar, asiento y demás actos honoríficos de ambas corporaciones*, hecho que no se materializó, porque Agustín ya empezó a mirar con animadversión a quienes estaba considerando como potenciales enemigos, por sus observaciones impertinentes y falta de respeto al caudillo de la independencia, al generalísimo que ellos mismos habían nombrado, a su *Alteza Serenísima*...

Elementos hostiles a Iturbide.—Ha quedado claro y era un hecho fehaciente, casi palpable, que en la Junta Provisional existían protagonistas hostiles a Iturbide, los cuales tardaron muy poco en evidenciar tal sentimiento en cuestiones de auténtica trascendencia. El abanderado de tal encono no podía ser otro que José María Fagoaga, español afecto a la independencia, eso sí; partidario del *Plan de Iguala* también, rico, hombre de letras, de opiniones liberales casi extremistas, de firme carácter, a cuyo alrededor se acercaron casi todos los abogados, militares y personas ilustradas que figuraban en la Junta. El tema elegido para romper las hostilidades con los fanáticos y apologistas de Iturbide no era de los más favorables para conseguirles popularidad, ya que, versando sobre asuntos clericales y sosteniendo ellos principios no muy ultramontanos, por fuerza habían de chocar con los muchos elementos que habían concurrido a la independencia con el pretexto o con el deseo (o bien o mal entendido deber) de preservar la religión que se suponía en peligro tras las medidas tomadas por las Cortes españolas. Así que, obrando con estrategia consumada, abandonaron a sus adversarios los puntos que no consideraron capitales en la cuestión y, para impedir que se tomara postura favorable, se manifestaron firmes en el carácter provisional de la Junta, de acuerdo con lo expuesto en el *Tratado de Córdoba*, por lo que no podía ocuparse sino de materias urgentes que no pudieran aguardar la resolución del Congreso.

Cinco eran los puntos a debate: los dos primeros, a los que Fagoaga y los *suyos* se oponían, se referían al restablecimiento de los jesuitas y a las tres religiones hospitalarias; los otros, sobre si se permitirían las profesiones suspensas por decretos de las Cortes, si habían de abrirse los noviciados y seguirse el orden y sistema de las prelacías. Efectivamente: se resolvió aplazar los dos primeros puntos hasta que se pronunciara el Congreso y, satisfechos por haber obtenido esa victoria los liberales sobre su declarado enemigo eclesiástico, no se hizo cuestión de los tres restantes, que se resolvieron en sentido afirmativo. En vano fue que los *fieles devotos* sacaran una y otra vez el asunto a colación, ya que la Junta, una y otra vez también, se reafirmó enérgicamente en su postura inicial, manteniéndose intransigente con 16 votos contra 14, impidiendo así el restablecimiento de los jesuitas, y se sostuvo la antinomia de que las religiones hospitalarias estuvieran suprimidas en la capital cuando subsistían en las provincias. Si en este punto fueron sólo vapuleados los adlátares de Iturbide, surgió bien pronto otro en que el varapalo se lo llevó el mismo generalísimo; se discutía en la Junta el sistema electoral que debía privar y la Regencia quiso asistir al debate para ilustrarlo y proceder con armonía, pero entonces la Junta resolvió *que la Regencia podía asistir a las reuniones de la Junta a exponer lo que considerase oportuno, aunque en cuanto a la participación en el debate y acceso al voto no daba lugar el reglamento*, y *que sobre este particular ya no se admitía polémica*, de modo que, habiéndose presentado en la Junta la misma Regencia antes de que tal acuerdo fuera comunicado, el generalísimo hizo desde luego uso de la palabra, y cuando le interrumpió el presidente para puntualizar que, conforme al reglamento estaba prohibida la reunión de los dos poderes, Iturbide, enfurecido, protestó airadamente, declarando que aquel reglamento era nulo porque no había sido aprobado por la

Regencia, y que era preciso que los de la Junta se ajustaran a las bases juradas por todos y principalmente por el ejército (subliminal amenaza esta última). La controversia no concluyó aquí, pues siguieron más contestaciones entre el presidente de la Regencia y el de la Junta; pero sin duda para no prorrogar un enfrentamiento que hubiera podido tener nefastas y caóticas consecuencias, o bien porque la última no tenía fuerzas bastantes para imponerse categóricamente a la primera, y sobre todo contra Iturbide, se revocó el acuerdo anterior, la Regencia tomó parte en la discusión de la ley electoral e incluso se tuvieron muy en cuenta y presentes las proposiciones más importantes manifestadas por su *Alteza Serenísima.*

Si en el seno de la Junta eran toda una evidencia los elementos hostiles al generalísimo, fuera, en la prensa, las logias y las clases que habían concurrido al movimiento insurgente, se advertían síntomas no menos alarmantes de antagonismo y de luchas. Un espíritu díscolo, *travieso* e inquieto, que tenía a su servicio una pluma cáustica de afilado aguijón, como Carlos María Bustamente, resucitaba las glorias de los primitivos insurrectos para humillar a Iturbide y publicaba un periódico semanal, *La Avispa de Chilpancingo* (21), dedicado a Morelos, y cada número en particular se dirigía a enaltecer a alguno de los antiguos jefes de la revuelta protagonizada por el cura Hidalgo. Otros escritores, no menos osados que Bustamante, se atrevían ya a defender la forma republicana (y difundir idearios republicanistas), y en la capital tenía gran aceptación el rotativo que, con el título de *El Sol* y como órgano de la logia del mismo nombre, publicaba Manuel Codorniu, médico llegado con O'Donojú de España, defensor, eso sí, del *Plan de Iguala* (como la mayoría de las logias masónicas), porque abogaba por la monarquía constituida con un infante de la dinastía borbónica, proyecto al que se habían apuntado todos los españoles que no podían emigrar y, lo que era más extraño y curioso, los mismísimos republicanos, que no creían probable la cristalización de dicho plan, pero lo apoyaban para sumarse a los

(21) Se encuentran algunos ejemplares de este periódico en determinadas bibliotecas de Madrid.

opositores de Iturbide, al que consideraban como peligro más inmediato, y también se hacían partícipes del noticiable eco los antiguos insurgentes, desatendidos por el generalísimo, y que empezaban tímidamente ahora a conspirar contra él.

De esta situación —como la historia demuestra que suele suceder en esa clase de situaciones—, se iban afirmando los principios de una coalición formidable, en la que tenían cabida: los unos, por defender una idea; los otros, por satisfacer una ambición; éste, por despecho; aquél, por exigencia perentoria de su posición personal, prescindiendo todos al unísono de los mutuos agravios y divergencias, formando piña para acabar con el poder a quien todos igualmente combatían.

Agustín de Iturbide, no obstante, seguía teniendo por el momento pulso firme, gran fuerza y notoria popularidad; contaba con el ejército (subliminal amenaza, como ya se ha dicho, que exhibía a la más mínima, a las primeras de cambio si era preciso), objeto de todos sus halagos, favores y prebendas; el clero continuaba ofreciéndole su inestimable cobertura, no sólo por la solidaridad adquirida cuando fue necesario, sino porque temía las convulsas novedades que se cernían amenazadoramente sobre su cielo, y contaba con la adoración popular, encargándose de adular a las masas en todas sus arengas y proclamas, y a las que entretenía con pompas, absurdas parafernalias y funciones, a la imagen y semejanza de los antiguos Césares, que procuraban atraerse con sus magnificencias y lúdicos espectáculos cruentos el aplauso y la admiración de la plebe romana; o sea, el llamado *panem et circenses* (22).

El generalísimo y el estado del ejército (su obsesión máxima).— Iturbide, en verdad, sólo tenía ojos para *su ejército* y miraba con es-

---

(22) Expresión con que se censura la actitud de los gobernantes de cubrir sólo las necesidades básicas del pueblo y de promover espectáculos populares impactantes para distraer a las masas y evitar la crítica hacia otros aspectos de su mala gestión política.

pecial preferencia y predilección todo aquello que se relacionaba con las fuerzas armadas. Reformó la organización de la infantería, disponiendo que sólo hubiera regimientos y cada uno constase de dos batallones; un regimiento tenía su estado mayor, y además cada batallón contaba así mismo con el suyo, y aunque una compañía estuviera compuesta únicamente por cuarenta y ocho soldados no era óbice para que contara con cinco oficiales; cambió por otras nuevas las antiguas denominaciones de los cuerpos, con lo que se borraron los recuerdos de sus glorias y hasta los soldados desertaban en gran número por no pasar a otros batallones; reformó igualmente la caballería y los cuerpos provinciales que tan buen servicio habían prestado en tiempos de guerra, sin que costara nada su mantenimiento en los de paz, organización igual a la de las excelentes milicias que improvisó en su día el cardenal Jiménez de Cisneros en España, pasaron a ser tropas veteranas o de línea, creyendo que podría reemplazarlos con ventaja la milicia nacional de reciente creación, en lo que erró gravemente, porque nunca encontró la forma de organizarla para que no fuera un elemento de constante perturbación, un cómodo pretexto para nuevas e irritantes tretas y un perpetuo motivo de disgusto para el propio ejército.

Tan obcecado estaba Agustín de Iturbide con las tropas, que esa misma obsesión y sus absurdos afanes modernistas y de cambio le precipitaron a cometer una serie de imperdonables torpezas que, a no muy largo plazo, acabaría pagando caras.

El resultado de tan absurda e incoherente reorganización del ejército fue tal que, en diciembre de 1821, para los 8.308 soldados que conformaban la guarnición de la capital, había 1.802 oficiales desde coronel a alférez, y como se contaban también 3.161 sargentos, cabos y músicos, resulta que de aquéllos y éstos había más de uno por cada dos soldados, aunque, descontando de éstos la clase de asistentes, vendría a quedar en idéntica proporción o quizá menor, hecho éste que venía a demostrar la incapacidad militar de Iturbide.

El generalísimo fue generoso, pródigo y magnánimo en las gracias otorgadas a todas las clases del ejército; a todos los individuos, desde soldados hasta sargentos, que se hubieran adherido antes de finalizar marzo al *Plan de Iguala*, se les señaló un aumento de sueldo mensual. Los oficiales fueron premiados en proporción, no de sus hazañas, porque muy poco oyeron silbar las balas de cerca, sino del mayor o menor número de efectivos que arrastraron consigo, aparte de las gracias a que se hubieran hecho acreedores por acciones distinguidas.

Como los antiguos insurgentes vivieron largo tiempo sólo de esperanzas y dándose grados imaginarios en el ejército para tener algún estimulo en sus filas y evitar que se produjera una peligrosa diáspora que trajera inherente el reconocimiento del Gobierno español, ahora, una vez consumada la aventura independentista, se presentaron con las graduaciones que tenían, siéndole reconocidas por Iturbide, de modo que para todos los militares fue grandemente fructuosa la revolución, porque raro fue el que no obtuvo tres, cuatro y hasta cinco gracias. Así los brigadieres pasaron a tenientes generales, los coroneles a mariscales de campo, los capitanes a coroneles y los sargentos a capitanes, de forma y manera que, por obra y gracia de tan disparatado proceder, había más jefes que soldados. Además, por si la barbaridad no fuera ya gigantesca, faraónica, se creó la orden imperial de Guadalupe que facilitaba el acceso a nuevas gracias y prebendas a quienes ya habían sido harto premiados. De todas formas, desde la perspectiva ambiciosamente personal de su *Alteza Serenísima*, semejante cúmulo de despropósitos no dejaba de tener su lógica para quien desde coronel se había autoascendido a generalísimo y aspiraba, apoyado precisamente por las fuerzas armadas, a coronarse emperador de México.

Lo lamentable, lamentabilísimo, del caso es que Iturbide otorgaba estas gracias (la mayoría de ellas acompañadas de fuertes incentivos económicos; cierto es lo de Cervantes: *poderoso caballero don dinero*; y no menos cierto lo de Beauchene: *quienes opinan que el dinero todo lo puede, sin duda están dispuestos a todo por el dinero*), que tanto gravaban la economía del Estado, cuando éste se veía obligado a mendigar recursos a los banqueros o apoderarse de fondos de manera seudolegal, con eufemismos que ocultaban un bandidaje como otro cualquiera, que todos habían visto con qué se había hecho la independencia, alcanzando mayores recompensas y gratificaciones en metálico los que no corrieron peligro alguno que los que sí y, en fin, se sentaban con todas estas enfrebecidas maniobras *iturbidinas* funestísimos precedentes de cara al porvenir, a un futuro no muy lejano; porque una revuelta tan radical llevada a feliz término con escasos medios, y que debía suponerse inspirada por los móviles más honestos y patrióticos, si deseaba borrar de alguna manera el crimen cometido por los militares deshonrando las ordenanzas y los juramentos prestados, debía demostrar desinterés y abnegación, lo cual hubiera evitado que el ejército, desde entonces, fuera en México un instrumento perdurable de revoluciones, por más que en teoría se le considerara disuelto desde aquella fecha, pues, aunque se improvisaron emperadores, regentes, generalísimos, generales, brigadieres y un Estado Mayor formidable, a todos les igualaría el porvenir, porque ni pudo el Tesoro pagar sus generosísimas asignaciones, ni hubo soldados que mandar, ni quedó consideración dentro ni fuera del país para los que llegaban a aquellas posiciones ya completamente envilecidas.

Borbónicos y republicanos.—Verificadas las elecciones que habían de crear el primer Congreso mexicano, arrojaron un resultado no muy favorable a los propósitos de Iturbide, porque la mayoría *(para variar)* le iba a ser hostil.

Dos elementos constituían esta mayoría: el borbónico, que, aferrado con uñas y dientes al *Plan de Iguala*, quería constituir una monarquía liberal con un infante español, como en su día lo prometiera Iturbide, y el republicano, que, si bien desconocido antes de la insurgencia y sin haberla iniciado ni favorecido grandemente, iba engrosando sus filas con todos los descontentos y revolucionarios del día después, ayudado por las generosas torpezas del generalísimo, nada cuidadoso es bien cierto por constituir la monarquía comprometida, y que, obsesionado sólo por levantar hasta las más altas cimas su candidatura personal, ninguna atención ponía al alarmante crecimiento del nuevo partido creado en aquella prolongada, peligrosa y turbulenta interinidad.

Los hombres de carácter, entendimiento, posición y dinero formaban el elemento borbónico, y jóvenes arrebatados e impetuosos, sólo contenidos por la propia inexperiencia, componían el republicano, constituyendo el lazo que los unía el odio común a Iturbide, que no quería la república, ni quería la monarquía borbónica, sino la suya personal.

El grupo de incondicionales de Iturbide en el Congreso lo conformaban gente baladí, de escaso mérito y ninguna significación, incapaz de habérselas en discusión formal con borbónicos y republicanos, bien que esta guardia negra, estas cabezas redondas del Cromwell mexicano, que todo lo esperaba de su exaltación al trono (y tenían genuino pánico a retornar a los sumideros de procedencia), confiaban mucho en el número, en la fuerza, en los léperos de la capital, en los frailes de los conventos y en los soldados de la guarnición, elementos todos ellos o agradecidos o esperanzados a Iturbide, y que inspiraban audacia a sus parciales en el Congreso. Poco tardó en declararse la animadversión de la mayoría. Había acordado el Congreso que continuara funcionando la Regencia, si bien dispuso que concurriera a su seno para prestar juramento, previniendo que el ceremonial acordado por las Cortes de España en 1812 fuera el que rigiera para tal solemnidad. Se presentó en el Congreso la Regencia ignorante de este acuerdo y, acostumbrado Iturbide hasta entonces a ocupar el primer sitio en todas partes, vino a sentarse en el sitial del presidente, hecho éste que motivó la agresiva censura de un diputado, celoso por la dignidad de la Asamblea, representada en su presidente, que figuraba, como no podía ser de otra manera, entre los hostiles al generalísimo, quien tuvo que engullir en silencio aquella bochornosa humillación, precursora de la guerra implacable que se haría a todos y cada uno de sus actos; pero al retirarse dirigió un oficio de queja al Congreso, concebido en los términos más acerbos, que se acordó no constara en acta. Dos o tres días después fue instalada la Asamblea, que se reunió el 24 de febrero, anunciando Iturbide que pasaría a su seno en compañía de los generales y jefes que había en la capital, para ofrecerla sus respetos. La Cámara decidió que el generalísimo ocupara el asiento de la izquierda del presidente, entrando con espada; que se sentaran por aquella vez entre los diputados los generales que le acompañaban, y el resto de la comitiva, sin armas, quedase a la puerta del salón de sesiones.

CARTA DE DESPEDIDA DEL GENERAL ITURBIDE A SU HIJO MAYOR

Vamos a separarnos, hijo mío Agustín; pero no es fácil calcular el tiempo de nuestra ausencia: ¡tal vez no volveremos a vernos! Esta consideración traspasa el corazón mío y casi aparece mayor mi pesar a la fuerza que debo oponerle; ciertamente, me faltaría el poder para obrar, o el dolor me consumiría, si no acudiese a los auxilios divinos, únicos capaces de armarse en circunstancias tan exquisitas y tan críticas. A tiempo mismo que mi espíritu es más débil, conozco que la Providencia divina se complace en probarme con fuerza: sí, hijo mío, quisiera entregarme a meditaciones y a cierto reposo, cuando los deberes me impelen y el amor me obliga a hablar, porque nunca necesitas más de mis consejos y advertencias, que cuando no podrás oírme, y es preciso que te proporcione en pocos renglones que leas frecuentemente los recuerdos más saludables y más precisos, para que por ti mismo corrijas tus defectos y te dirijas sin extravío al bien. Mis consejos aquí serán, más que otra cosa, una indicación que recuerde lo que tantas veces, y con la mayor eficacia, te he dado. Te hallas en la edad más peligrosa, porque es la de las pasiones más vivas, la de la irreflexión y de la mayor presunción; en ella se cree que todo se puede; ármate con la constante lectura de buenos libros y con la mayor desconfianza de tus propias fuerzas y de tu juicio. No pierdas jamás de vista cuál es el fin del hombre, estando firme en él, recordándolo frecuentemente, tu marcha será recta; nada te importe la crítica de los impíos y libertinos: compadécete de ellos y desprecia las máximas por lisonjeras y brillantes que se te presenten. Ocupa todo el tiempo en obras de moral cristiana y en tus estudios; así vivirás más contento y más sano, y te encontrarás en pocos años capaz de servir a la sociedad a que pertenezcas, a tu familia y a ti mismo. La virtud y el saber son bienes de valor inestimable que nadie puede quitar al hombre; los demás valen poco y se pierden con mayor facilidad que se adquieren. Es probable que cada día *seas más observado*, por consiguiente tus virtudes o tus vicios, tus buenas cualidades o tus defectos serán conducirte en todo lo mejor posible. Es preciso que vivas muy sobre tu genio; eres demasiado seco y aun adusto; estudia para hacerte afable, dulce, oficioso; procura servir a cuantos puedas; respeta a tus maestros y gentes de la casa en que vas a vivir, y con los de tu edad sé también comedido sin familiarizarte. Procura tener por amigos a hombres virtuosos e instruidos, porque en su compañía siempre ganarás. Ten una deferencia ciega, y observa muy eficaz y puntualmente las reglas y plan de instrucción que se te prescriban. Sin dificultad, te persuadirás de que varones sabios y ejercitados en el modo de dirigir y enseñar a los jóvenes sabrán mejor que tú lo que te conviene. No creas que sólo puede aprenderse aquello a que somos inclinados naturalmente; la inclinación contribuye, es verdad, para la mayor felicidad; pero también lo es que la razón persuade y la voluntad obedece. Cuando el hombre conoce la ventaja que le ha de producir una obra y se decide a practicarla, con el estudio y el trabajo vence la repugnancia y destruye los obstáculos. ¿Qué te diré de tu madre y hermanos? Innumerables ocasiones te he repetido la obligación que tienes de atenderlos y sostenerlos en defecto mío. Dios nada hace por acaso, y si quiso que nacieses en tiempo oportuno para instruirte y ponerte en disposición de serles útil, tú no debes desentenderte de tal obligación y debes, por el contrario, ganar tiempo con la multiplicación de tareas, a fin de ponerte en aptitud de desempeñar con lucimiento los deberes de un buen hijo y de un buen hermano. *Si al cerrar los ojos para siempre* estoy persuadido de que tu madre y tus hermanos encontrarán en ti mi apoyo, tendré el mayor consuelo de que es susceptible mi espíritu y mi corazón; pero si por desgracia fuere lo contrario, *mi muerte sería en extremo amarga*, y me borraría tal consideración mucha parte de la tranquilidad de espíritu que en aquellos momentos es tan importante, y tú debes desear y procurar a tu padre en cuanto de ti dependa. En otra carta te daré las personas a quienes con tus hermanos te dejo especialmente recomendado, la manera con que debes conducirte con ellas, con otras instrucciones para tu gobierno; y concluiré ésta repitiéndote, para que jamás lo olvides: *el temor santo de Dios, buena instrucción y maneras corteses son las cualidades que harán tu verdadera felicidad y tu fortuna;* para lograrla: *buenos libros y compañías, mucha aplicación y sumo cuidado*. Adiós, hijo mío muy amado: el Todopoderoso te conceda los bienes que te deseo, y a mí el inexplicable contento de verte adornado de todas las luces y requisitos necesarios y convenientes para ser un buen hijo, un buen hermano, un *buen patriota,* y para desempeñar dignamente los cargos a que la Providencia divina te destine. Bury Street en Londres, a 27 de abril de 1824.-Agustín de Iturbide.

Manifestó el futuro emperador que no ocupaba *su asiento* de costumbre por venir con sus compañeros de armas, descubriendo su sentimiento por lo que se había hecho con los jefes de las fuerzas armadas, negándoles la entrada al salón, predisponiendo de esta forma Iturbide a los militares contra la Cámara, en los mismos momentos en que respondía de que el ejército sería la salvaguarda y el más fiel cumplidor de sus soberanas resoluciones. Él, siempre había manifestado mucho desvío hacia los antiguos insurgentes, poniendo buen cuidado en que una revolución no se mezclara con la otra. Pero, pese a la oposición de los incondicionales del generalísimo, el Congreso declaró fiesta nacional la fecha de la insurrección de

Hidalgo, ni más ni menos que el levantamiento de Iguala, y diputado hubo que, hurgando casi morbosamente en la herida insurgente, *pidió que la comisión encargada de los distintivos con que había de honrarse a los héroes de la patria, verificase escrupulosamente por expedientes quiénes eran los genuinos héroes.* No mucho después, los hostigadores de Iturbide fueron más lejos en sus pretensiones: Carlos María Bustamante, uno de los insurgentes más temible por su inteligencia, puso encima del tapete el hecho de que se reclamara al general Dávila al padre Mier, que estaba preso en San Juan de Ulúa, protestando luego por el encarcelamiento de Guadalupe Victoria (23), a consecuencia de una conspiración (no del todo probada) contra el generalísimo (Victoria sería poco después primer presidente constitucional de la República), quizá por eso sólo, porque por lo demás Guadalupe Victoria (que realmente se llamaba Manuel Félix Fernández) era una de tantas nulidades que levanta la milicia, y para finalizar su intervención Bustamante logró que la Cámara declarara preferente una proposición que presentaba *para honrar la memoria de los primeros héroes de la patria, y para que se derogase el decreto del generalísimo en que prevenía no se alegasen en los memoriales los méritos contraídos antes del 2 de marzo de 1821.*

El Congreso, enemigo de Iturbide.—Aún se escuchaba el eco de las intervenciones de unos y otros, de los brillantes discursos pronunciados con mayor o menor grandilocuencia, con temas impor-

---

(23) Guadalupe Victoria (1786-1843). Político mexicano nacido en Tamazula (Durango). Al incorporarse al movimiento revolucionario de Morelos cambió su nombre de Manuel Félix Fernández para simbolizar con el nuevo un México victorioso bajo la advocación y patronazgo de *Nuestra Señora de Guadalupe.* Dirigió a los insurgentes en Veracruz y, al proclamarse *Agustín de Iturbide* emperador, colaboró con Santa Ana en su derrocamiento. Primer presidente constitucional de México (1824-1828), abolió la esclavitud, rindió el último reducto español (el castillo de Ulúa) y consiguió el reconocimiento de la nueva República por algunos países europeos, como Inglaterra, por ejemplo.

tantes o menos a debate, cuando se leyó en el Congreso un oficio del ministro de Hacienda remitiendo los documentos dirigidos por Iturbide a la Regencia, en que constaban las deserciones de las tropas por falta de socorros, y se hablaba del peligro de que, desbandado el ejército, la anarquía y el pillaje se apoderaran de la nación, concluyendo por pedir 450.000 pesos mensuales para pagar al menos las tropas reunidas en México. Se decretó que estos documentos pasaran a la Comisión de Hacienda, pero el brigadier Herrera solicitó entonces que informara el ministro de la Guerra por qué, cuando en las provincias podía pagarse a los miembros de las fuerzas armadas con mayor facilidad que en la capital y estaba más barato el forraje para la caballería, se sustentaba en México tan crecido número de efectivos; razonamiento intencionadísimo dirigido abiertamente contra Iturbide, quien, lejos de desminuir aquéllos, aseguraba que debían incrementarse.

Había pues, y a cada sesión era más y más evidente, tirantez de relaciones, hostilidad manifiesta, guerra abierta y declarada entre Iturbide y el Congreso (cuando éste contaba tan sólo con un mes de vida). El desenlace se preveía como la gran humillación de uno u otro; y tal como estaban de caldeados los ánimos, cualquier incidente, por liviano e intrascendente que fuera, se constituía para el generalísimo y los diputados en fuente de conflictos y roces, sirviendo de pretexto para recriminaciones y escándalos.

Diputados acusados de traición por Iturbide.—En este estado de cosas se advirtió una cierta agitación, algún movimiento en las tropas expedicionarias españolas que estaban en marcha o en destacamentos separados que esperaban su embarque en la ocasión oportuna.

Quizá su *Alteza Serenísima* conocía mejor que nadie lo que se estaba *cociendo*, porque, puesta en marcha la correspondencia escrita con el general Dávila a quien Iturbide exigía la rendición inmediata de San Juan de Ulúa, siguió dirigiéndose a él, pese a la rotunda negativa del castellano a las exigencias del generalísimo, con cartas eufemísticamente amistosas, medio oficiales-medio oficiosas, de modo que en una de sus respuestas, Dávila, viendo los disgustos con que el Congreso mexicano *obsequiaba* siempre a Iturbide, y la viva oposición que se le hacía, llegó a proponerle que entrara en su plan (independientemente de que el caudillo de la magna insurrección no pudiera aceptar la sugerente insinuación del militar español, es de sospechar que se alegró al comprobar que brotaba alguna chispa de sedición castrense contra los órganos de gobierno mexicanos, ya para seguir dándose aires de hombre necesario, ya para acusar como cómplices a los españoles —una vez más, Agustín, evidenciaba su *modus operandi* fraudulento y nada ético militarmente hablando, bajo, sucio y ruin, ¿por qué no decirlo?— que le hacían oposición en el Congreso, ya, en definitiva, para mantener en pie la cifra de soldados que consideraba imprescindible para su miras, y que podía ocultar ahora con aquel pretexto bajo móviles patrióticos). A excitación del generalísimo y pese a que el Congreso se encontraba de vacaciones por estarse contemplando la Semana Santa, el presidente, a quien aquél se había dirigido a las cinco de la madrugada del miércoles 3 de abril, convocó a los diputados para las once de la mañana con objeto de anunciarles que Iturbide quería manifestar a la Asamblea el movimiento que se intentaba y las medidas que había adoptado para abortarlo. Apenas había dicho esto el presidente, cuando un diputado hizo la observación de que no podía concurrir por sí solo el generalísimo a la sesión, sino con la Regencia, acordándose así y así se le hizo saber al caudillo de la independencia, cuando éste hizo acto de presencia de forma inesperada, por lo que el presidente hubo de informarle de viva voz del acuerdo que acababa de aprobarse. La noticia sentó fatal al generalísimo, pero, procurando no evidenciar su ira, manifestó que: *La necesidad, señor presidente, señores diputados, es urgentísima; es la salud de nuestra patria, la salud de México, la que está corriendo un grave peligro... Pido pues que el Congreso nombre una comisión de su seno, a la que expondré las medidas tomadas, de las cuales y por tratarse de un asunto estrictamente militar, no se ha informado a la Regencia.*

Nones. El Congreso se mantuvo en sus trece, o sea, en el acuerdo tomado, suspendiéndose la sesión, declarada permanentemente secreta, hasta que se incorporara a la misma la Regencia.

La escena que posteriormente se produjo fue grave y tumultuosa. Yáñez, uno de los regentes, adujo que ignoraba el motivo por el que se le había requerido, que estaba observando excesiva agitación en el público y que le causaba enorme extrañeza que no se le hubiera informado la causa de que procedía; Iturbide, entonces, olvidando que se trataba de un compañero, de un igual, de otro regente, olvidándose así mismo de que estaba en presencia del Congreso y olvidándose por último del respeto y dignidad que se debía a sí mismo y de que iba a demostrar una ligereza e intemperancia más propias de un insurrecto que de quien estaba al frente de los destinos de un país, dirigiéndose en tono acre a Yáñez, repuso: *No sabe usted nada porque me consta que hay traidores en la Regencia y en el Congreso, como lo evidencian estos documentos.*

El aludido, enrojeciendo como la grana, replicó airado:

—*¿Qué está diciendo? ¿Cómo es eso de* traidores*? ¡Usted es el traidor!*

Iturbide, perdida por completo la compostura y montando en cólera, arreció con violencia dialéctica contra Yáñez, y sin la campanilla del presidente, que tuvo necesidad de llamarles al orden con insistencia, es muy posible que ambos regentes hubieran pasado de las palabras a los *hechos* en público, antes de retirarse la Regencia y su irritado presidente a la secretaría. Los documentos presentados con aparatosa solemnidad por Iturbide eran, sin embargo, muy poca causa, reduciéndose a la última misiva del general Dávila, y como ella nada contenía contra los diputados y como en todo caso y para los muy suspicaces el único sospechoso podía ser el mismo generalísimo, que estaba en correspondencia con un militar enemigo, se produjeron murmullos de reprobación a su conducta, que llegaron al colmo cuando Odoardo tomó el uso de la palabra en los siguientes términos: *Señor, César ha pasado el Rubicón;* símil histórico que en aquellos instantes se convertía en una gravísima acusación contra Iturbide.

Un diputado republicano, rompiendo el protocolo, interrumpió al que hablaba reclamando con enérgicos ademanes que se declarara *traidor* a su *Alteza Serenísima*, y ya muchos se levantaban de sus escaños para aprobar la idea, que lo hubiera sido, en efecto, si Fagoaga, uno de los acusados por Iturbide, no se hubiera precipitado hacia la tribuna pidiendo calma y serenidad al pleno y oponiéndose frontalmente a la petición del republicano, calificándola de absurda, improcedente y fuera de lugar.

Temió el Congreso ser disuelto por la brava aquel día, pero recobrada la tranquilidad, al menos en apariencia, las aguas volvieron a su cauce y el resto de los parlamentos se produjeron sin nuevas novedades escandalosas. Se abrió la sesión pública a las siete y media de la noche para anunciar a la masa que se agolpaba, tumultuosa, en las galerías, que la tranquilidad estaba garantizada y que la suerte del Imperio no corría peligro alguno. Malparado salió Agustín de aquella sesión, y más aún de la siguiente, porque en votación nominal y por unanimidad se declaró por el Congreso que los *diputados cuya conducta había sido puesta en tela de juicio por el generalísimo no habían desmerecido su confianza, y al contrario, estaba plenamente satisfecho de su quehacer personal y público.* Así, Iturbide iba malgastando su inmensa popularidad, demostrando su ligereza y haciéndose incompatible con la Asamblea, la cual, por su parte, atendiendo a que estuviera provisto el ejército y manifestando su satisfacción a la Regencia y a las tropas por lo fácilmente que habían controlado el intento de los españoles (de bien poca importancia, por cierto), acordó no dejar al lado de Iturbide como regentes más que a Yáñez, contra quien aquél tal odio abrigaba, reemplazando al obispo de Puebla, a Bárcena y a Velázquez de León, que eran incondicionales del generalísimo, por el conde de las Heras, Nicolás Bravo y el doctor Miguel Valentín, cura de Huatmala, los tres de la completa confianza del Congreso, a quienes apresuradamente se dio posesión de sus cargos.

Agustín ya no podía hacerse demasiadas ilusiones; el Congreso le ponía la proa, nombrando aquellos compañeros de regencia como fiscales, y si no le destituía con claridad era porque estaba temeroso de su influencia en el ejército, por lo que buscaba el modo indirecto de postergarlo. Tal fue la introducción de un artículo en el reglamento de la Regencia prohibiendo a sus miembros tener mando de tropas, medida análoga a la tomada en su día por el Parlamento inglés cuando quiso arrancarle a Cromwell el mando de las tropas, declarando incompatible el cargo de diputado, cuyo carácter tenía, con el mando militar que ostentaba.

Iturbide se proclama *emperador y la plebe aclama a Iturbide.*— Los campos, pues, estaban deslindados, los beligerantes dispuestos y la batalla próxima a librarse. ¿Con qué motivo se dio? Ya se ha apuntado: trataba el Congreso de aprobar un nuevo reglamento para la Regencia, en virtud del cual ninguno de sus componentes podía tener mando de tropas, medida que se dirigía contra el generalísimo, regente, que era a la par comandante en jefe de las fuerzas armadas, y como a Iturbide no le pasaba por la cabeza, ¡ni en sueños!, perder la patria potestad sobre *su ejército,* juzgando la ocasión propicia, dejó actuar a sus partidarios y, apoyado en una especie de motín en que las tropas acuarteladas recibieron el soporte masivo de las turbas lanzadas a las calles, subió al trono.

Así de simple. Así de fácil.

Era la noche del 18 de mayo. El regimiento de Celaya, que había mandado Agustín como coronel, debía tomar la iniciativa; un sargento llamado Pío Marcha, después de la hora de retreta, hizo levantar a algunos soldados para salir con ellos a la calle, gritando: *¡Viva Agustín I!*

Los efectivos de los demás cuarteles repitieron el grito siguiendo el mismo ejemplo. El coronel Rivero, ayudante de Iturbide, penetró en el teatro y allí hizo a la concurrencia proclamar al generalísimo. La plebe envilecida y degradada en México, aquella que halagaba y se atribuía a Iturbide, a la usanza de los Césares del Bajo Imperio, se precipitó por calles y plazas, aclamándole con entusiasmo y forzando a todos los vecinos a que iluminaran sus casas.

Los soldados sacaron la artillería y algunos paisanos subieron a las torres de las iglesias, y entre los tiros de fusil, los ruidos de los cohetes, el estampido del cañón y el repique de las campanas, fue Iturbide proclamado emperador.

Mientras tal efervescencia se desarrollaba al aire libre, el generalísimo llamaba a sus aposentos a los miembros de la Regencia y a varios generales y diputados, al presidente del Congreso y a algunos de los personajes notables de la capital, casi todos amigos, contertulios y comensales. Con una ingenuidad que desafiaba al cinismo, mostrándose sorprendido por los hechos que estaban sucediendo y por la salida masiva del pueblo a las calles para aclamarle y vitorearle, con tono inocente que sonaba a burla, a chanza y a sarcasmo, pidió que le aconsejaran. La sorpresa sí era natural en los reunidos, aunque los ambiciosos no renunciaban a la hipocresía, ni aun entre cómplices. Y el Consejo, que no tenía más alternativa que jugar sus cartas con habilidad si no quería perder la partida definitivamente, hizo lo que tenía que hacer, pensando en que desde aquel instante tenía sus intereses encadenados al interés de Iturbide: *le dijeron que cediese a la voluntad del pueblo.*

Alea jacta est (la suerte está echada).—Iturbide, en el colmo de la histriónica modestia, *se resignó*, aunque su alegría interior debía ser de esas que marcan hitos históricos, y se convino en convocar el Congreso para las siete de la próxima mañana para darle cuenta de lo acaecido. Los generales, jefes y oficiales suscribieron una exposición al Congreso manifestando que todos los cuerpos de infantería y caballería que se encontraban en la plaza habían proclamado a Iturbide emperador de la América Mexicana y que este grito lo había repetido el pueblo, hasta la saciedad, con incontenible entusiasmo.

Verdad es que para que no se dijera que la fuerza quería violentar a la conciencia y los cuarteles sobreponerse a la Cámara, protestaban de sostener el orden y la tranquilidad mientras los diputados deliberaran, pero les rogaban al mismo tiempo (*preces erant, sed quibus contradici non posset*, como decía Tácito) que tomaran en consideración los sucesos ocurridos y resolvieran con celeridad sobre tema de tan trascendental importancia.

Iturbide todavía en aquella misma noche quiso dirigir una alocución a los mexicanos, dándoles cuenta de lo que el pueblo y el ejército de la capital, unidos, habían hecho, y les decía así mismo que al resto del país tocaba aprobarlo o rechazarlo. Les recomendaba, como amante del orden, el respeto a las autoridades constituidas, concluyendo con esta farisaica exposición (monótona protesta de todos los ambiciosos):

> *La nación es la patria; la representan hoy sus diputados, ¡oigámoslos, pues! No demos un escándalo al mundo y no temáis seguir mi consejo. La ley es la voluntad del pueblo: nada hay por encima de ella. Entendedme y dadme la última prueba de amor, que es cuanto deseo y lo que colma mi ambición.*

Era consciente Iturbide de que no debía temer el fallo del Congreso y obraba precavidamente cuando quería dar aquella san-

EXPOSICIÓN DEL EX EMPERADOR AL CONGRESO NACIONAL

Señores diputados: La expresión de la verdad jamás ofendió a la delicadeza ni al más pundonoroso decoro; jamás tampoco la oyera con desagrado el hombre de bien, en el palacio y en la cabaña siempre dio honor al que la pronunció y no menos al que no se resintió de oírla.

Próximo a alejarme de la corte, es mi deber manifestarlo a la nación, dirigiéndome a sus representantes.

Subiendo al trono no se deja de ser hombre: el patrimonio de éstos es el error; los monarcas no son infalibles, por el contrario, más disculpables en sus faltas, o llámeseles delitos, si cabe

tal contradicción con los principios del día; sí, más disculpables, porque colocados en el centro de los movimientos, en el punto a que se dirigen los negocios o, lo que es lo mismo, en que chocan todas las pasiones de los que forman los pueblos, su atención dividida en multitud innumerable de objetos, su alma aturdida fluctúa entre la verdad y la mentira, la franqueza y la hipocresía, la amistad y el interés, la adulación y el patriotismo; todos usan un mismo lenguaje, todo se presenta al príncipe con iguales apariencias: él bien podrá desear lo mejor, y este mismo deseo le precipita al mal; pero el filósofo descansa en su conciencia, y si está expuesto a sentir, no lo está a sufrir los remordimientos del arrepentimiento; por desgracia, aun los consejos que se dan de buena fe no son siempre los que producen el acierto.

Los que hoy sobre las providencias que más han fijado la atención, me persuadieron que la felicidad de la patria exigía hacer lo que hice, y a lo que se atribuyen resultados que habrían sido los mismos de otro modo, con sólo la diferencia de que la causa verdadera o aparente (esto lo decidirá el tiempo) habría sido en un caso debilidad, y en otro despotismo: ¡triste es la situación del que no puede acertar y más triste cuando está penetrado de esta importancia! Los hombres no son justos con sus contemporáneos; es preciso apelar al tribunal de la posteridad, porque las pasiones se acaban con el corazón que las abriga.

Se habla mucho de la opinión, de su violento desarrollo: siempre se yerra de prisa, y por lo común sólo despacio se acierta; la opinión tiene su crisol, sus efectos no son efímeros; esto me persuade que todavía no podemos fijarnos en cuál sea la de los mexicanos, porque o no la tienen, o no la han manifestado; en doce años bien podían contarse casi otras tantas opiniones tenidas por tales. Comenzaron las diferencias; no me era desconocido su término, ni me era dado tampoco evitar los efectos del destino; yo debía aparecer como débil o como déspota: me decidí por lo primero, y no me pesa; sé que no lo soy, economicé males a los pueblos, puse un dique a caudales de sangre; esta satisfacción es mi recompensa.

No desconozco la adhesión que se tiene a mi persona en diversas partes, ni puedo dudar de ella a vista de testimonios que la convencen. Tampoco ignoro que, dando energía al genio de la discordia y activando la marcha de la anarquía que amenaza a la nación, los pueblos que ahora están desunidos harían votos diversos y pronunciarían voluntad distinta.

Pero mi sistema jamás será el de la discordia. Miro con horror la anarquía, detesto su influencia funesta y deseo la unidad en bien de la nación donde he nacido y por tantos títulos debe ser cara a mis ojos.

El plan que elegí para terminar diferencias ha sido de paz y armonía, de orden y tranquilidad, no mirando a mi persona, fijando la vista en la nación, haciendo sacrificios por mi parte, procurando excusar los de los pueblos, evitando que la revolución tenga el carácter siempre de reacción física, trabajando para que tenga el de un movimiento indicado solamente por los pueblos y ejecutado con prudencia por las autoridades.

Mandé a Jalapa comisionados que, hablando en la confianza de la armonía con los generales y jefes del ejército, se terminasen en paz y sosiego las diferencias ocurridas; presenté a la deliberación de la Junta los puntos que iban embarazando la conclusión de un negocio tan serio como trascendental; decreté el restablecimiento del Congreso, cuando se me manifestó, primero por los comisionados y después por la diputación de esta provincia, que la reposición del que existía antes era conforme a la voluntad de la mayoría y a los deseos de los generales y jefes; lo restablecí cuando supe que había en México suficiente número de diputados para formarlo; le manifesté el día de su restablecimiento que era dispuesto a cualquiera sacrificio que exigiese el *verdadero bien de la nación*; dejé a su elección lo del lugar donde juzgase necesario reunirse y tener sus sesiones; le reiteré mi respeto a la voluntad general de la nación y al Congreso que la representa; propuse que si para su libertad y seguridad estimaba necesario que se retirasen todas las tropas, su acuerdo sería decisivo y el Congreso deliberaría sin ver armas en derredor de él; le hice presente por el ministerio respectivo que, si no creía bastantes para verse libre y seguro las medidas hasta entonces tomadas, acordase las que creyese necesarias convencido de que el Gobierno dispondría al instante su ejecución y cumplimiento; abdiqué la corona, expresando que, si era origen de disensiones, no quería lo que embarazase la felicidad de los pueblos; añadí que decidido este punto me expatriaría, saliendo de esta América y fijando mi residencia y la de mi familia en un país extraño, donde, distante de México, no se presumiese jamás influjo mío en la marcha que siga esta gran sociedad; expuse que, mientras se resolvía el artículo de abdicación, me retiraría de la corte, para dar esta prueba más de mis deseos por la libertad del Congreso en negocio tan grave; pedí que él mismo comisionase individuos de su seno para que, tratando con los generales del ejército, fijase, oída su voz y la mía, el modo decoroso con que debía retirarme; no quise hacer uso de la elección que se me daba para nombrar los quinientos hombres que debían servir de escolta a mi persona; propuse yo mismo que el general don Nicolás Bravo, que merece justamente la confianza pública, fuese el jefe de aquella escolta; he querido que, vistos mis pasos, oídas mis voces, presenciadas mis acciones, las de los pueblos, caminando a su felicidad o alejándose de ella, no se crean jamás influidas por mí.

No se ha presentado al pensamiento la necesidad de otro sacrificio. Si en la extensión de la posibilidad hay algún otro que exija el verdadero interés de la nación, yo estoy dispuesto a hacerlo. Amo la patria donde he nacido y creo que dejaré a mis hijos un nombre más sólidamente glorioso sacrificándome por ella, que mandando a los pueblos desde la altura peligrosa del trono.

Salgo con toda mi familia; antes de salir debía ponerlo en noticia del Congreso, desenvolver los planes de mi gobierno y desarrollar los de mi alma.

Conocí que esta parte rica de la América no debía estar sometida a Castilla. Presumí que ésta era la voluntad de la nación; sostuve sus derechos, y proclamé su independencia. He trabajado en su gobierno y abdico la corona, si la abdicación es necesaria para su felicidad.

El Congreso es la autoridad primera que va a dar dirección al movimiento de los pueblos. Si éstos llegan al objeto de sus deseos sin derramar la sangre de sus individuos; si, unidos en derredor de un centro común, cesan las divergencias y divisiones siempre embarazadoras del bien; si, constituidos por unas leyes sabías, levantadas sobre bases sólidas, quedan asegurados en el goce de sus derechos; si, gozando de los que le da la naturaleza, trabajan sin ser distraídos por convulsiones, en abrir o limpiar las fuentes de riqueza; si, protegidos por un Gobierno que deje en libertad el interés individual de los labradores, artesanos y comerciantes, llegan todos a ser ricos o menos pobres; si la nación mexicana, feliz con la felicidad de sus hijos, llega al punto que debe ocupar en la carta de las naciones, yo seré el primer admirador de la sabiduría del Congreso, me gozaré de la felicidad de mi patria y terminaré gustoso los días de mi existencia.-Tacubaya, 22 de marzo de 1823. Agustín.

ción a un poder tan alto que venía de tan bajo, a aquel imperio de la América mexicana creado en una noche de orgía multitudinaria en la que participaban los soldados y los léperos de la capital, esto es, la gente vagabunda, los *lazzaroni* de México.

Sobre noventa diputados se reunieron en la sesión del Congreso mexicano celebrada a la mañana siguiente que comenzó por ser secreta, protestando algunos contra lo que se hiciera en público, porque la controversia no podía ser libre bajo la presión de la soldadesca y de las muchedumbres que envolvían el edificio, gritando y vociferando, y que poco tardarían en invadir las galerías. En efecto, bien pronto se vio que la turba hacía imposible todo debate, porque únicamente se escuchaba un grito: *¡Viva Agustín I!* Acudió el Congreso a la Regencia, pero ésta repuso que no podía responsabilizarse del orden, apelándose entonces al propio Iturbide para que acudiera a la sesión. Fingió el generalísimo unos instantes de duda y vacilación pero, siguiendo el consejo de sus exégetas y aduladores, decidió presentarse en el Congreso, y no hizo más que poner los pies en la calle, la plebe lo llevó alzado y por sí misma, con renovado entusiasmo y vivas atronadores, hasta su punto de destino. Al entrar Iturbide en el salón de sesiones, el público inundó las galerías, y el pueblo y el ejército, oficiales, soldados, frailes, léperos y gentes de toda laya, deseosos todos y cada uno de disputar el primer puesto en la adulación y/o servidumbre al César invicto que proclamaban, se sentaron entre los mismos diputados, evidencia (o mejor injerencia) ésta que abortaba de raíz cualquier intento objetivo por parte de aquéllos. A excitación del presidente hizo Iturbide como que trataba de calmar la efervescencia popular y, aprovechando la coyuntura, recordó los esfuerzos que tantas y tantas veces había hecho para impedir que el fervor y entusiasmo del pueblo lo elevara a una magistratura que nunca había ambicionado, esfuerzos que había redoblado —estaba mintiendo descaradamente y los diputados eran conscientes de ello y de muchísimas cosas más—, según explicaba, el día anterior, en el momento en que supo de lo que se trataba, a lo que era y fue por completo ajeno, y ahora se dirigía del mismo modo al público para exhortarle a que se sometiera al dictamen del Congreso, cualquiera que éste fuera.

El público le estuvo interrumpiendo mucho, impaciente por ver realizado su deseo de que el abanderado independentista por antonomasia fuera proclamado de inmediato emperador, de modo que apenas pudo escucharse la voz de aquellos diputados que, con más sereno patriotismo o en el baldío intento de aplazar toda resolución definitiva, pedían que se esperara algún tiempo hasta que por lo menos las dos terceras partes de las provincias hubieran ampliado los poderes de sus representantes, quedando Iturbide entre tanto como único regente, proposición a la que obviamente no se adhirió el generalísimo, que concentraba en sus manos la totalidad del poder ejecutivo, lo cual, unido al soporte absoluto que las provincias le otorgaban, debía hacerle considerar el éxito, con la inapreciable, la inmensa ventaja para él de que de esta manera su exaltación al trono no habría sido el resultado de un motín de la soldadesca y de la plebe capitalina, sino la expresión solemne, fría y severa de la voluntad de todos; la fórmula incontrastable y augusta de la soberanía nacional.

Rechazadas aquellas tímidas y casi inaudibles proposiciones, se puso a debate la que debía satisfacer a la inquieta e impaciente muchedumbre, la suscrita por la mayoría de los diputados presentes, la que era entusiasta panegírico de Iturbide, de sus extraordinarios méritos, de su buena fe en el cumplimiento del *Plan de Iguala* y del *Tratado de Córdoba*, que lo apartaba del trono, la que decía *que, rotos éste y el* Plan de Iguala *por no haber sido aceptado por España, los diputados estaban autorizados por aquellos mismos tratados a dar su voto para que Iturbide fuese declarado emperador, confirmando de esta manera la aclamación del pueblo y del ejército, recompensando debidamente los asombrosos méritos contraídos por el libertador del Anahuac, y afirmando al mismo tiempo la paz, la unión y la tranquilidad, que de otra suerte desaparecerían entonces acaso para siempre; pero este voto, que los diputados que lo suscribían aseguraron ser el general de sus provincias, lo daban bajo la condición precisa e indispensable de que el generalísimo almirante, en el juramento que había de prestar como emperador, tenía que obligarse a obedecer la Constitución, leyes, órdenes y decretos que emanasen del soberano Congreso de México.*

Hay que fueron ahogadas con gritos y amenazas las voces de los diputados que tuvieron el raro valor, el atrevimiento, de hacer algunas observaciones contra esta propuesta, así como se ovacionó frenéticamente a aquellos otros que la apoyaban con frases lisonjeras para Iturbide. Tras este debate o, mejor dicho, después de esta retahíla alternativa de censuras y aplausos, de esta serie de gritos y amenazas, de cambios y adulaciones, declarado el punto suficientemente discutido, el generalísimo dirigió de nuevo la palabra al pueblo *ex-*

hortándole a guardar el mayor orden y respeto a la soberanía nacional, exigiéndole que, si amaba a su persona, le prometiese someterse respetuosamente al resultado de la votación, cualquiera que fuese, pues en aquella Asamblea residía la voluntad única de la nación representada por sus diputados.

Este discurso fue, ¡cómo no!, interrumpido una y otra vez por los gritos del populacho, más impaciente a cada segundo que transcurría sin que Iturbide fuera nombrado emperador, de modo que, sosegado un poco el tumulto, se procedió a votar, surgiendo el resultado que se esperaba, el único resultado que podía esperarse: 77 diputados, contra 15 que optaron por la consulta a las provincias, pusieron a don Agustín de Iturbide en el trono de México. A las cuatro de la tarde se hizo público el resultado de la votación, y entonces el presidente del Congreso invitó al César electo a ocupar el asiento que le correspondía bajo el solio; el pueblo prorrumpió de nuevo en escandalosas aclamaciones y, estremeciendo los aires con sus vítores y aplausos, acompañó a Iturbide hasta sus aposentos particulares.

* * *

Así se levantó el Imperio de México sobre las ruinas del Plan de Iguala y *del* Tratado de Córdoba, *de que se valió Iturbide para atraerse a los españoles y ocultar su propia ambición, sobre el falseamiento de todos los principios que hicieron la independencia, sobre la abierta violación de todas las formas legales, puesto que las votaciones del* Congreso *no eran válidas si no concurrían 101 diputados, y sólo 82 fueron los que tomaron parte en pro y contra del Imperio, apoyado en la soldadesca y en la plebe, como los* Augústulos *del Bajo Imperio; sin el prestigio de la legitimidad, sin el esplendor de la gloria, sin la grandeza del genio, destinado, por tanto, a pronta desaparición, a una catástrofe segura y a causar la eterna desventura de México; resultado natural de todos los poderes que la ambición y el egoísmo y las pasiones humanas crean para satisfacer intereses efímeros, popularidades pasajeras y estrechas banderías, cuando debían atender a las grandes, verdaderas, permanentes necesidades de una nación para asegurar su dicha, con el llamamiento y fundación de una dinastía, en la dilatación del tiempo y en la sucesión de las generaciones.*

CONSAGRACIÓN DEL EMPERADOR Y LA EMPERATRIZ

El domingo 21 de julio de 1822 tuvo efecto la gran solemnidad de la proclamación y consagración del emperador y la emperatriz. *Carlomagno ciñó su cabeza con la corona de hierro de los antiguos lombardos con menos pompa, con más sencillez, en ceremonia menos aparatosa, pueriles arrebatos de la vanidad humana que quiere deslumbrar con apariencias y arrancan al hombre de juicio una sonrisa de lástima.*

Pero aquí, en México, aquel día todo fue distinto, extremadamente solemne. Repicaban las campanas y retumbaban los cañones, y el Congreso, y las órdenes religiosas, y los curas de la ciudad y arrabales, y la Audiencia, y la Diputación Provincial, y los Tribunales de Minería, y el Consulado, y el Protomedicato, y el Ayuntamiento, y los títulos, y todas las corporaciones, contribuían a la grandeza del acto. Dos obispos a la puerta de la catedral daban el agua bendita al emperador y a la emperatriz, y fueron éstos llevados bajo palio a sentarse en el solio, y el obispo de Guadalajara, que los consagró, decía después en voz alta a la concurrencia: *Vivat imperator in aeternum!* Y contestaban todos: *¡Vivan el emperador y la emperatriz!* Y el obispo de Puebla tomó por *leit motiv* de su sermón, para aplicarlas a Iturbide, aquellas palabras del libro I de los Reyes sobre la elección de Saúl: *Bien veis al que ha elegido el Señor, y que no tiene semejante en todo el pueblo, y clamó todo el pueblo y dijo:* ¡Viva el rey!, dirigiendo acto seguido a Iturbide las lisonjas que otrora dirigiera a Fernando VII, a quien decía que era preciso amar con una especie de frenesí y aplicaba a la dominación española los mismos y denigrantes epítetos que antes aplicara a los insurgentes que quisieron sacudirla.

Quizá fuera fruto de una extraña premonición... Pero en todos —o en casi todos— los corazones latía el presentimiento de que *aquello* iba a ser efímero, fugaz como los *fuegos fatuos* de los cementerios, de que el Imperio pasaría como un meteoro, y que se aproximaban días de disolución y de amargura sobre México. Nadie... *Nadie respetaba realmente a Iturbide*, condición *sine qua non* para consolidar un poder. Agustín de Iturbide era hombre de mérito sin duda alguna, pero con una vaga, inquieta y febril ambición desde niño, muy superior a sus cualidades, y que la fortuna le permitió realizar, para despeñarle desde lo más alto y hacer la eterna desventura de su país; Iturbide pertenecía a una familia a quien la clase alta y media de la sociedad consideraba como inferior (o en el máximo de la tolerancia, como igual), y como inferior o como igual habían tratado siempre a Agustín, aunque ahora, en aquel momento, muchos hicieran por olvidar, por olvidar sólo un instante.

Dice la historia y nutrida está de ejemplos, que no fundan fácilmente dinastías los advenedizos, y por esa misma razón eran pocos los que creían en la estabilidad del nuevo Imperio, y por eso también el presidente del Congreso, amigo de Iturbide, al poner la corona sobre su cabeza, le dijo con suave pero evidente causticismo:

—*No se le vaya a caer a V.M.*

Iturbide, no ignorando tono y contenido de aquellas palabras, sonrió, como tratando de alejar funestos presagios, respondiendo:

—*Yo haré que no se me caiga.*

Tercer cuaderno

— ... hasta el fusilamiento de Agustín de Iturbide y Aramburu —

Jalapa (y Santa Ana), un aviso para observar (y emperadores): Salió Iturbide de México el 10 de noviembre para llegar a Jalapa el 16, donde, predominando el elemento español, que le era adverso, fue recibido con tal frialdad, que el emperador llegó a decir que no parecía sino que España empezaba en Jalapa. Echávarri, como capitán general del distrito, le acompañó en el viaje, y Santa Ana, como gobernador de Veracruz, también se le presentó, comunicándose entonces a un brigadier que había quedado en esta plaza la orden de que se hiciera cargo del mando, siempre que concurrieran circunstancias extraordinarias; y a Santa Ana se le dijo, sin manifestarle desagrado alguno, que el emperador necesitaba en México de sus servicios, conociendo éste de inmediato que había caído en desgracia, por lo cual pretextó varias excusas para no efectuar el viaje, entre otras la de no tener montante económico; pero habiéndole franqueado Iturbide diez mil reales de su bolsillo, no le quedó otra opción que aparentar obediencia, pidiendo sólo algunos días para verificar la entrega de la comandancia.

Dado este golpe, Iturbide creyó realizado todo el objetivo de su viaje y en Jalapa se entregó a violencias con los españoles, que se conceptuarían de verdaderamente indignas incluso entre salvajes, pues no habiendo aportado el alcalde, Bernabé Elías (español respetable, con numerosa familia y gran patrimonio en el pueblo), las bestias de carga que necesitaba el tren imperial, el emperador, atribuyéndolo a la mala voluntad de los españoles, quiso vengarse de todos ellos en la persona del dignísimo alcalde mandándole *ponerse una alabarda*, hecho éste que atestiguó el general Echávarri, y que, en verdad, mancilla más la memoria de quien dio tan vejatoria orden que la de quien se vio obligado a aceptarla.

Pero no es de extrañar tan deplorable suceso, conociendo los desvanecimientos de orgullo humano que padecía Iturbide (mayores aún en los que suben a lo alto desde la medianía o desde la oscuridad de las últimos estratos sociales). El emperador no toleraba la contradicción ni el que se cuestionaran sus decisiones (más que eso, absurdos caprichos de *niño mal criado*); estaba sufriendo una crisis de postrer paroxismo de la vanidad, y exigía en su corte de advenedizo una etiqueta que habrían encontrado tan rigurosa como ridícula los cortesanos del zar de Rusia o del emperador de Austria.

Explicaba, según refleja la historia, el mismo Santa Ana que, habiéndose sentado en presencia de Iturbide, el capitán de la guardia, le dijo: *Señor brigadier, delante del emperador nadie se sienta;* y que esto abrió tan profundo resentimiento en su pecho que, cuando salió a alguna distancia de Jalapa a despedirle, cuando se alejaba Iturbide con su comitiva en dirección a México, Santa Ana, contemplándolos por última vez, murmuró con siniestra entonación: *Pronto* veremos, *señor brigadier, si delante del emperador nadie se sienta.*

Tan sombrío comentario bisbiseado entre dientes iba a forjar el rayo que fundiría el trono de Iturbide.

No sin razón temía Iturbide a Santa Ana. Con una ambición sólo equiparable a la de éste y que, lógicamente, no le permitía ser el *segundo de a bordo*, aunque con una condición moral que no le llamaba por cierto a ser el primero... Habiendo recibido recompensas del conde de Venedito por su fidelidad, y de los insurgentes por su traición, siendo el primero en hincar la rodilla ante su *Alteza Serenísima*... ¡Ah!, y el primero en proclamar la República, apoyándose hoy en los revolucionarios para exterminar a los conservadores, y mañana en los conservadores para aniquilar a los revolucionarios... No dando a las ideas más valor que el de simples medios para hacerse con el mando supremo y no siendo éste en sus manos más que un instrumento de fácil fortuna... Sucesivamente apasionado, al parecer, del dominio español, de la independencia, del imperio constitucional, del imperio absoluto, de la república, ya central, ya federal, de la demagogia, ¡y hasta del infortunado Maximiliano de Habsburgo cuando llegara el momento!... Santa Ana, con algunos rasgos de valor y de algunas exageradas notas patrióticas (casi folclóricas), también quizá fruto de la aritmética (léase cálculo), era el hombre idóneo para seducir y explotar alternativamente a todos los partidos, bien que para ser en definitiva otra de las grandes (y muchas) calamidades de su patria.

Profundamente irritado con Iturbide, como se desprende de su talante vengativo a la hora de despedir al emperador tras la secuencia vejatoria que se ha descrito, infligida por un inferior en rango a él (nos referimos al que le llamó al orden castrense), decidido a lo que fuera necesario, A TODO, AL MÁXIMO, por derrocarle, Santa Ana no perdió ni un segundo cuando se separó de aquél en Jalapa. Un día y una noche anduvo sin detenerse para llegar a Veracruz antes de que se hiciera oficial su destitución y en el mismo momento de llegar recogió la guardia de la capitanía general y de la principal, penetró en el cuartel donde estaba alojado su regimiento, mandó tocar generala y proclamó la República, recorriendo las calles al frente de sus soldados, entre los vivas del pueblo y el repique de campanas. Había en Veracruz gran número de elementos antagónicos a Iturbide y, además, la guarnición española de San Juan de Ulúa, lógicamente, debía de alegrarse, y mucho, de lo que estaba sucediendo, y era de esperar que auxiliara en cuanto pudiera, como lo hizo, en aquel intento de revolución contra el emperador. Parece ser que la fortuna se aliaba con Santa Ana, y fue que el ministro de Colombia, Santa María, expulsado por Iturbide, se encontrara en Veracruz y le inspirara en sus primeros pasos insurgentes. Obras fueron de este inteligente y consumado revolucionario la proclama y el plan dados por Santa Ana.

La violencia de que fue objeto el Congreso para proclamar emperador a Iturbide, la prisión de los diputados, la disolución de la Cámara, el expolio de los caudales españoles, la violación, por tanto, del juramento prestado por el mismo Iturbide, fueron las causas que expuso Santa Ana para justificar su insurgencia, proponiéndose como objetivo prioritario y fundamental de aquélla la anulación del nombramiento del emperador y, además, que el Congreso se reuniera en un punto neutral o por lo menos libre de cualquier influencia, para proclamar la forma de gobierno que tuviera por conveniente, la observancia interina de las garantías del *Plan de Iguala* con la Constitución española de 1812 y la formación de un ejército *libertador* que garantizara la limpia puesta en marcha de todo aquel proyecto.

La Diputación Provincial se le adhirió de inmediato y, de acuerdo con ella, Santa Ana decretó el restablecimiento del comercio con España y sus posesiones, libertad para la extracción de dinero y un armisticio con los españoles de San Juan de Ulúa para que la ciudad nada tuviera que temer por aquel lado.

La revolución se extendió cual reguero de pólvora por todos los pueblos de las márgenes del río Alvarado, encontrando gran apoyo en los jarochos, o sea, gente de la campiña. Guadalupe Victoria, que se contaba entre los primeros insurrectos, se presentó en la plaza para capitanear a los rebeldes, y los generales Guerrero y Bravo se escaparon de México para colaborar con la revuelta en las tierras del Sur. Por cierto que Iturbide destacó a un jefe militar con un piquete de dragones para capturarlos y, tras alcanzarlos, los dejó escapar de nuevo, cohechado por diez onzas de oro y algunas alhajas que le dieron los fugitivos. ¡Tales eran los jefes y oficiales que había prosperado el emperador, y tales los individuos con que pensó cimentar su imperio y combatir las futuras revoluciones que lógicamente estallarían!

Diversa fue la suerte de las armas para los de uno y otro bando, pues si bien al principio Santa Ana sorprendió a las tropas imperiales que había en San Juan del Río, cayó derrotado posteriormente cuando pretendió entrar en Jalapa, como lo fueron también Guerrero y Bravo en su intento de enfrentarse al brigadier Armijo, leal entonces a Iturbide, como lo había sido hasta los últimos instantes con los castellanos, y ya la insurrección santanista no ostentaba triunfante su bandera más que sobre los muros de Veracruz, sitiada por las fuerzas mandadas por el capitán general de la provincia, Echávarri, en quien tenía absoluta confianza el emperador, cuando las logias masónicas, que en honor a la verdad no habían provocado el movimiento, resolvieron aprovecharlo, dirigiendo con extraordinaria habilidad todo su inmenso y oculto poder contra el trono de Iturbide.

EL PLAN DE CASA MATA

Se proponían los masones no alarmar con su proyecto a los parciales del emperador en el ejército, por lo cual expresaban hipócritamente su respeto hacia el imperio y la persona de Iturbide, prescindían de la República y esperaban que decidiera el Congreso en su próxima reunión, como Agustín hablaba en el *Plan de Iguala* tan lisonjeramente de los españoles, de su deseo de sentar en el trono de México a Fernando VII o alguno de sus hermanos, y esperaba también la salud patriótica del Congreso mexicano (todo con el fin de atraerse los elementos leales a España, debilitando las resistencia que temía encontrar). Pues bien, los masones ahora estaban obrando a imagen y semejanza del emperador. Como suele decirse vulgarmente, sobre todo en política: *los mismos perros con diferentes collares.*

Activando la masonería *su propaganda* con el sibilinismo que caracterizaba a la organización, y destacando discretos emisarios cerca del general Echávarri y de los brigadieres Cortázar, Lobato y demás jefes del ejército sitiador, la mayor parte novicios en las logias y dóciles a la hora de acatar órdenes de la superioridad, empleando idénticos recursos en torno a Santa Ana tratando de convencerle de que no persistiera en proclamar la República, los imperialistas, que no tenían suficientes efectivos como para rendir la plaza y temían pasar por la afrenta de una vergonzosa retirada, y los sitiados sin método para hacer levantar el sitio por la fuerza y que mucho menos la tenían para propagar la revolución... Todos, en fin, intentando desesperadamente cubrir su egoísmo, flojedad, infamia o ambición, con el ostentoso manto del patriotismo (que tantas vilezas suele cubrir a menudo), porque suponían a la patria en peligro por sus comunes disensiones, y porque faltaba la representación nacional, acordaron unánimemente (pese a defender intereses contrapuestos, contradictorios y en teoría irreconciliables) firmar un acta en que, protestando de que el ejército no atentaría nunca contra la persona de Iturbide, se acordaba la convocatoria de un Congreso, cuyas resoluciones sostendrían todos los cuerpos de las fuerzas armadas, para ser los primeros en dar testimonio de obediencia.

Este proyecto, en virtud del cual vinieron a confraternizar sitiados y sitiadores (¡vivir para ver!), se llamó *Plan de Casa Mata,* por el lugar en que se dio a luz, como el proyecto de Iturbide se había llamado *Plan de Iguala,* por idéntica razón. Cuando de él tuvo conocimiento el emperador, se entregó a las más violentas y exacerbadas demostraciones de su ira y despecho: *Se me quiere imponer a la brava,* decía a sus incondicionales de la Junta Instituyente, *y yo les demostraré que no se ha debilitado el brazo que conquistó la independencia de este país; se ha sorprendido a parte del ejército, ¡pero yo lo desengañaré!*

Pero en vez de tomar alguna medida enérgica, viril, que estuviera a la altura de las circunstancias de aquellos terribles momentos que se vivían precisamente contra él, se conformó enviando una comisión para que conferenciara con los jefes militares que habían suscrito el *Plan de Casa Mata,* cabalmente cuando el fuego de la insurrección se extendía por doquier, cuando el marqués de Vivanco, que mandaba en Puebla, se adhería a dicho plan, y cuando también se pronunciaban en su favor todas las diputaciones provinciales, halagadas por los rebeldes, y que, con el vuelo que entonces tomaron, vinieron a constituir el soporte y la base de la futura República Federal.

Iturbide farfullaba contra los españoles: suponía que la revolución se debía a sus intrigas y manejos contra la independencia, lisonjeaba a los soldados diciéndoles que él les había defendido cuando el Congreso los calificaba de *carga pesada e insoportable, asesinos pagados con dineros del pueblo;* quería evitar por todos los medios la deserción, fatigaba a la prensa con baratos discursos apologéticos sin descuidar los elogios que se tributaba a sí mismo, embriagaba a los léperos para que lo vitorearan, quería que se creyera que la causa de la independencia era *su causa personal, la causa de su familia y de su imperio*; pero sus enemigos se multiplicaban poniendo en ridículo sus rimbombantes proclamas y fijaban en las esquinas, a modo de bando, un impreso que decía: *Mando nuestro emperador que ninguno le obedezca*, recordando la fórmula de su juramento; la deserción en su campo era mayor aún que cuando el propio Iturbide sitiaba México, en tiempo de Novella; los regimientos enteros desertaban de su lado, y todo, todo se hacía con la protesta de que nada se intentaba contra la persona del emperador y que se quería lo mismo que éste, porque también Iturbide había pedido el restablecimiento del Congreso. Fernando VII, por el *Plan de Iguala* proclamado emperador, fue de esta manera despojado de sus Estados.

Así Iturbide, por el *Plan de Casa Mata*, que observaba el respeto a su rango y persona, se vio obligado a bajarse del trono.

En poco más de un año tuvo lugar esta coincidencia histórica, que se presentó a los ojos de muchos como expiación providencial.

PROSCRIPCIÓN DE ITURBIDE

Todo tipo de negociaciones acerca de los jefes militares que habían suscrito el *Plan de Casa Mata* fracasaron estrepitosamente.

Podía haber renunciado al título de emperador y ponerse al frente del ejército en el que le quedaban bastantes simpatías, para dirigir el movimiento contrarrevolucionario en favor de su persona...

Podía haber convocado un nuevo Congreso...

Pero Iturbide sabía que todo era inútil.

No tuvo otra alternativa que decidirse por el restablecimiento del antiguo Congreso, hecho que hizo público en decreto de 4 de marzo. De todos modos dicho Congreso poca, o ninguna, autoridad tenía, si la Junta surgida de la última revolución, instalada en Puebla, no se allanaba a reconocerle, cosa que hizo al fin, matizando, eso sí, que respetaría su autoridad siempre y cuando se reuniera en un punto neutral o alejado de la perniciosa influencia iturbidesca. Cuando se supo en México que la Junta de Puebla había resuelto *que el Ejército y la Junta reconocerían como legítimo el Congreso disuelto ilegítimamente y subsistente en derecho si se completaba el número competente de diputados para hacer leyes, y lo obedecían tan luego como lo viesen obrar con absoluta libertad,* Iturbide pidió que se reuniera la Asamblea en sesión extraordinaria, y por medio del ministro de Justicia presentó la abdicación en una nota escrita de su puño y letra, ofreciendo salir del país en breve plazo y no pidiendo otra cosa sino que el Congreso mandara pagar las deudas que había contraído para los gastos de su residencia. No obstante, la abdicación se presentó en un tono mucho más formal, tres días después, en la sesión del 20 de marzo, en escrito enviado por el secretario de Iturbide al Ministerio y por los ministros transcrita al Congreso.

Como consecuencia dimanante de este hecho concreto, la abdicación imperial, los jefes militares de las tropas libertadoras y los de las fuerzas aún fieles al emperador suscribieron un convenio sustentado en los tres siguientes artículos:

> *1.º El ejército libertador se obligaba a reconocer a Iturbide con el carácter con que considerase el Congreso cuando estuviere reunido legalmente y en la plenitud de su libertad.*
> *2.º Iturbide saldría en el término de tres días con su familia hacia Tulancingo, escoltado por el general Bravo, como aquél había pedido.*
> *3.º Las tropas que habían permanecido fieles al emperador en México y Tacubaya debían ser tratadas como si perteneciesen al ejército libertador.*

Los efectivos revolucionarios tomaron posesión de la capital, en cuyas ínfimas clases tenía gran partido Agustín de Iturbide, con lo que muchos diputados, alejado todo temor de violencia, se presentaron en el Congreso, y ya el 29 de marzo declararon solemnemente su instalación legal, procediendo a elegir el poder ejecutivo, que se compuso de tres protagonistas y resultaron ser —consecuencia lógica y fatal de revoluciones que son hijas de un pronunciamiento militar— los generales Negrete, Bravo y Victoria, por 72, 57 y 54 votos, respectivamente.

Aprobado en todas sus partes el dictamen de la comisión, aunque hubo quien negó a Iturbide todo mérito en el movimiento independentista, y lejos de concederle ninguna gratitud, pretendía llevarlo al patíbulo (consecuencia hasta cierto punto natural dimanante de las guerras civiles), el Congreso, desoyendo lo que calificó de *tamaña barbaridad*, hizo patente su decisión de que el poder ejecutivo dispusiera que el ex emperador y su familia se embarcaran a la mayor brevedad posible, acompañados de las escasas personas que seguían adictas a su causa; salieron de Tacubaya para Tulancingo el 30 de marzo, tomando el camino de Veracruz escoltados por el general Bravo quien, considerándose como un mero ejecutor de las órdenes del Gobierno, trataba a Iturbide como un prisionero de guerra, y aunque no le negó nada de lo necesario se comportó a cada instante con mayor aspereza, ya desarmando la fuerza que permanecía incondicional a Iturbide, ya prendiendo a alguno de sus amigos y secuestrando la imprenta de campaña que el ex emperador llevaba consigo, ya negándose a toda demora en el viaje, que creía Bravo dirigida a obtener el tiempo preciso para *resucitar* al bando vencido, ya, en fin, poniéndole centinelas como si de un preso vulgar se tratara.

El 11 de mayo de 1823, Iturbide con toda su familia y las personas que le acompañaban, hasta el número de veintiocho, embarcaron en la fragata mercante inglesa *Rowllins*, pasando a bordo desde la boca del río de la Antigua, en donde ancló el navío, a fin de excusar al ilustre desterrado de la entrada en Veracruz. Dio escolta al buque la fragata de guerra también británica *James*. Ambas embarcaciones levaron anclas y se dieron a la vela a las once y cinco minutos de la mañana; instantes después arreció el viento y las dos fragatas se perdieron de vista como si hubieran caído por el otro lado del horizonte.

Los generales Bravo y Guadalupe Victoria pusieron en conocimiento del Gobierno la salida de Iturbide, haciendo constar la tranquilidad de la provincia, y en un banquete que dieron los veracruzanos en honor del primero, se entregaron todos a las más lisonjeras cábalas acerca de un futuro cercano y esperanzador.

Craso error que no tardarían mucho tiempo en comprobar y en sufrir en sus propias carnes las consecuencias.

ITURBIDE, EN EL DESTIERRO. POSTERIOR REGRESO A MÉXICO

Llegó la *Rowllins* a costas italianas en el mes de agosto, desembarcando Iturbide en Liorna el 2 de septiembre de 1823, siendo alojado con su familia en una casa de campo de los alrededores de aquella ciudad, casa que pertenecía a la princesa Paolina Bonaparte. Allí, como hiciera Napoleón en Santa Elena, Agustín se dedicó a redactar sus *Memorias* (legado para la posteridad), fechadas en 27 de septiembre, segundo aniversario de su entrada en México, que fueron publicadas, primero en inglés por M. J. Quin, y luego en francés por J. T. Parisots (París, 1824). Después de un corto viaje realizado hasta Florencia, donde fue recibido con honores por el gran duque de Toscana, y no considerándose seguro en Italia por temor a posibles maniobra malévolas de la Santa Alianza, se trasladó a Londres, llegando a la capital británica el 1 de enero de 1824.

Iturbide, en exposición de 13 de febrero, dirigida al Congreso mexicano, dio cuenta de su llegada a Londres, explicando su salida de Italia por el deseo de ser útil a su patria de los peligros de que suponía amenazada su independencia por los manejos de la Santa Alianza; bien que, estando en la capital de la Gran Bretaña y habiendo hablado con el ministro Canning, sabía mejor que nadie de los esfuerzos de Mr. Chateaubriand por restablecer una monarquía con un príncipe español en México; tan porfiados y generosos como consta de sus memorias diplomáticas, eran tardíos y se estrellaban en la oposición de la sañuda Inglaterra y en la orgullosa impotencia de Fernando VII. Así es que, cuando Iturbide, espoleado por sus amigos y estimulado por la propia ilusión de que todos en México iban a recibirle con el júbilo y la algarabía de antaño, pensó en regresar a su país, pasó un escrito al ministro inglés diciéndole que, con gran insistencia y desde diversos puntos, le pedían sus compatriotas que volviera, anunciando que uno de sus primeros cuidados sería establecer ventajosas relaciones entre México y el Imperio Británico. ¡Vanas palabras con que creyó Iturbide conquistar el decidido apoyo de un hombre de Estado tan conspicuo y pragmático como Mr. Canning, y con que se creyó autorizado para invitar a Lod Cochrane a que le acompañara en su regreso para arrancar el castillo de San Juan de Ulúa de manos de los españoles!

El ex emperador se embarcó en el bergantín inglés *Spring* rumbo a México el 11 de mayo de 1824, acompañado de su esposa, sus dos hijos menores, su sobrino José, los padres López y Treviño, Morandini y el polaco Beneski, militares que habían estado al servicio de México, llevando además consigo una imprenta de campaña con gente para servirla. Con esta comitiva y con tales instrumentos pensaba, ¡oh irresponsabilidad, oh ambición!, reconquistar el trono perdido, obsesionado con ser el Bonaparte iberoamericano, con quien sus aduladores le comparaban, y que su salida de la isla de Wight, donde subió a bordo del navío, tendría el mismo final que la fuga de Napoleón de la isla de Elba. Suponía —soñaba despierto— que su águila imperial volaría también de pueblo en pueblo hasta posarse sobre la cúpula de la catedral de México, en donde fuera coronado, y no le detenía en su temeraria empresa el recuerdo de la suerte sangrienta de Murat.

Al cabo de algunos años de destierro —escribió Macanlay—, *el hombre llega a ver, las más de las veces, a través de un prisma engañoso, todo lo que se refiere a la sociedad que ha abandonado.*

ITURBIDE, APREHENDIDO Y FUSILADO

Se ha dicho que el ex emperador dio cuenta al Congreso mexicano de haberse trasladado a Londres desde Italia, ofreciendo sus servicios para resistir los ataques que en su opinión Fernando VII, apoyado en la Santa Alianza, iba a dirigir contra la independencia mexicana. Pues bien, los periódicos pusieron en ridículo tal ofrecimiento, y el Congreso, en decreto de 28 de abril, contestó declarando *traidor y fuera de la ley a don Agustín de Iturbide, siempre que bajo cualquier título se presentase en algún punto del territorio mexicano, en cuyo caso, y por sólo este hecho, quedaba declarado enemigo público del Estado*, y resolviendo así mismo que serían igualmente declarados traidores a la federación *cuantos cooperasen con escritos encomiásticos o de cualquier otra forma a favorecer el regreso de Iturbide a la República mexicana.*

Ignorante de todo ello, Agustín llegó el 29 de junio a la bahía de San Bernardo, en la provincia de Texas; su sobrino Malo y el polaco Beneski saltaron a tierra, pero no habiendo encontrado población alguna regresaron a bordo, y el *Spring* se hizo de nuevo a la vela poniendo rumbo a Tampico. Vientos desfavorables y la escasez de agua hicieron que echara el ancla en la barra de Soto la Marina el 14 de julio, siendo comandante general de la provincia Felipe de la Garza, con residencia en la villa de este nombre, y a él se presentó Beneski para solicitar el permiso de desembarque, pretextando que él y su compañero, que había quedado a bordo, venían de Londres a México para presentar al Gobierno un plan de colonización.

Concedió Garza el permiso, después de preguntarle por Iturbide, de quien dijo Beneski que quedaba en la capital inglesa con su familia. Bajaron a tierra aquella misma tarde el polaco y el ex emperador, pero éste, pese a ir disfrazado, tuvo la desgracia de hacerse sospechoso al cabo del destacamento que había en el punto de la pescadería, por la soltura y ligereza con que se alzó sobre su caballo, hipótesis que fueron confirmadas por Juan Manuel de Azúnzolo, comerciante que se encontraba en el lugar por razón de sus negocios y que había conocido a Iturbide en México. El cabo informó a Garza de lo que estaba ocurriendo y el comandante general se presentó en Soto de la Marina en la mañana del día 16. Iturbide se vio forzado a darse a conocer, manifestando que había vuelto para servir a su patria de los inminentes peligros que la acechaban y a luchar de nuevo por su independencia si fuera preciso, pese a lo cual, habiendo preguntado a Garza sobre le suerte que le esperaba, hubo de contestarle éste: *la muerte.*

No dio muestras Iturbide de afectación alguna por la noticia, manifestando no importarle tan adversa suerte si servía de aviso para que México tomara las medidas oportunas y apresuradas para defenderse de las acometidas españolas. En el pueblo de Soto de la Marina cenó y durmió con absoluta tranquilidad. Estaba ya muy adelantada la mañana cuando despertó el día siguiente: 17. Pidió Agustín que se le permitiera confesar con su capellán, que había quedado a bordo, cuando se le comunicó que iba a ser fusilado en el término de tres horas, enviando a Garza un borrador de una exposición que había empezado y pensaba dirigir al Congreso. Garza estaba consternado. Tenía motivos de agradecimiento hacia Iturbide, doliéndole además proceder con tal rigor con un hombre que había llegado solo e indefenso, resolviendo, en consecuencia, suspender la ejecución y dar cuenta al Congreso local de aquel Estado de los hechos, poniendo el preso a su disposición.

Con tal objetivo emprendió la marcha el 18, tomando en el camino una medida bien extraña, pues haciendo formar en círculo a los soldados que les acompañaban les dijo que creía a Iturbide de buena fe e incapaz de querer trastornar la paz pública, y necesitando alguna aclaración del poder legislativo la ley de proscripción, creía que Iturbide no debía ser, entre tanto, considerado reo, y por esa misma razón iba a dejarle en libertad para que marchara a Padilla, en donde residía el Congreso, a ponerse a su disposición mandando la tropa.

Agustín de Iturbide arribó a Padilla en la mañana del día 19, queriendo presentarse ante el Congreso como comandante general del Estado por delegación de Garza, pero no lo permitió el Congreso hasta que, habiendo llegado éste, se presentó con Iturbide, ya entonces como reo. Garza habló a los diputados en favor de Agustín, insistiendo especialmente en que no podía ser castigado con la pena impuesta por una ley de la que no tenía conocimiento alguno, pero el Congreso se mantuvo inflexible haciendo que la ley se cumpliera, y a las tres de la tarde se le comunicó al ex emperador que se dispusiera a morir en el término máximo de tres horas. Iturbide solicitó de los miembros del Congreso que se aplazara su ejecución hasta el día siguiente para que pudiera oír misa y comulgar, gracia que le fue denegada; así que, después de haber confesado, él mismo avisó a la guardia que lo custodiaba, advirtiéndoles de que había llegado la hora.

—A ver, muchachos... Daré al mundo la última vista —anunció al salir de su prisión dirigiéndose a los soldados, mientras dejaba vagar su mirada de uno a otro lado.

Llegado al punto donde debía concluir su existencia, se vendó los ojos por propia mano y, aunque hizo alguna oposición a que se le ataran los brazos, no insistió en ello cuando el que mandaba el piquete le hizo observar que así tenía que hacerlo. Ni en sus ademanes ni en su voz pudo detectarse alteración alguna. Iba hacia la muerte con absoluta entereza; se diría que con gallardía, con desafío. Al eclesiástico que le acompañaba le entregó una carta para su mujer y el reloj y el rosario que llevaba al cuello, a fin de que lo remitiera a su hijo mayor, que había quedado en Londres; tres onzas y media que en pequeñas monedas de oro tenía en uno de los bolsillos mandó que se repartieran entre los soldados que asistían al fusilamiento y, finalmente, dirigiéndose a los concurrentes que había en la plaza, dijo con voz vibrante, potente, entera:

> *¡Mexicanos! En el acto mismo de mi muerte os recomiendo el amor a la patria y la observancia de nuestra santa religión; ella es quien os ha de conducir a la gloria. Muero por haber venido a ayudaros; no quedará a mis hijos y su posteridad otra mancha: NO SOY TRAIDOR, ¡NO! Guardad subordinación y prestad obediencia a vuestros jefes, que haciendo lo que ellos os mandan es cumplir con Dios. No digo esto lleno de vanidad, porque estoy muy distante de tenerla.*

Rezó el credo y un acto de contrición y, tras besar el crucifijo que le fue ofrecido, una bala en la cabeza y varias en el pecho barrieron definitivamente la vida de Agustín de Iturbide y Aramburu.

El general Santa Ana, que lo derribó del trono, fue el primero que en el año 1833 dispuso que *las cenizas de don Agustín de Iturbide fueran conducidas a México y conservadas en la urna destinada a los primeros héroes de la independencia.*

De este modo se le hizo ver a la nación mexicana, *tan justa cuando castiga la usurpación de sus derechos como cuando recompensa las magistrales acciones de sus hijos predilectos*, el reconocimiento público al ex emperador como uno de los adelantados de la independencia del país, por haberla proclamado en Iguala y por haberla conquistado con prudencia y valor. Sus restos, sin embargo, permanecieron en Padilla hasta que en agosto de 1838 el general Anastasio Bustamante (¡siempre militares gobernando la República!) propuso su traslado a México y, de acuerdo con el Congreso, se llevó a término, celebrándose con gran pompa los funerales y depositados sus despojos mortales en la capilla de San Felipe de Jesús, de la catedral, en sepulcro aparte del que contenía los restos del cura Hidalgo y demás insurgentes de 1812.

Unirlos hubiera equivalido a una profanación: *en vida y en muerte debían estar separados.*

RELACIÓN CIRCUNSTANCIADA QUE DA EL GENERAL CIUDADANO FELIPE DE LA GARZA DEL DESEMBARCO Y MUERTE DE DON AGUSTÍN DE ITURBIDE AL MINISTRO DE LA GUERRA

Excmo. Sr.: Deseando satisfacer las miras de S. A. S. comunicadas por el Ministerio de V. E. en órdenes de 27 y 28 de julio, con relación a que informe los pasos, miras y palabras de don Agustín de Iturbide desde su desembarco hasta su muerte, entraré en los pormenores con la exactitud que se me encarga.

En carta de 17 de julio, núm. 192, dije a V. E. el modo y estratagema con que se me presentó el extranjero Carlos Beneski, y que restituido a bordo con la licencia para el desembarco de su compañero inglés, volvió a las cinco de la tarde del día 15 en el bote de su barco, dirigiéndose a la pescadería, situada a una legua río arriba, sin tocar en el destacamento de la barra, ignorando acaso que allí hubiera vigilancia. Saltó en tierra Beneski, dejando el bote retirado con toda la gente de mar, y su compañero acostado, envuelto de cabeza y cara, cubierto con un capote; pidió un mozo y dos caballos ensillados para venir a la villa con un compañero, y mientras se le dieron permaneció en el bote en la misma disposición. A las seis de la tarde montó con el mozo, que también era soldado nacional, arrimó el caballo a la orilla, y tomando los del bote en brazos al compañero lo pusieron en tierra; dejó el capote y montó a caballo con agilidad no conocida en los ingleses. El cabo Jorge Espino, encargado de aquel punto, preparaba un correo que despachó a poco rato con el parte de lo ocurrido, dando orden de que en la noche adelantaran a los pasajeros. Poco después, el teniente coronel retirado don Juan Manuel de Azunzolo y Alcalde le dijo a éste que el disfrazado se parecía en el cuerpo a Iturbide. El cabo en el acto hizo montar tres soldados, dándoles orden de alcanzar a los pasajeros y acompañarles ante mi presencia. A las cuatro de la mañana les dieron el alcance en el rancho *de los Arroyos,* donde los pasajeros dormían al raso, a las siete leguas de jornada: el tropel interrumpió su sueño, y pronto fueron informados del negocio que traían. Beneski resistía el acompañamiento tanto como lo exigían los soldados, propúsoles que escribirían una carta para que uno la trajese y se quedasen dos con ellos hasta recibir mi contestación; aceptaron dos; y escrita la carta partió uno con ella; era bien tarde y aún permanecía acostado el compañero cubierto sin hablar palabra. A las diez del día se presentaron los correos con poca ventaja, y en seguida marché con dos oficiales y los soldados que pudieron juntarse. Como a las cuatro y media llegué al citado rancho *de los Arroyos*, e informado de los soldados dónde estaban los pasajeros, entré en el jacal y, descubriendo a Iturbide, me dirigi a él diciéndole: «¿Qué es esto? ¿Qué anda usted haciendo por aquí?» A lo que contestó: «Aquí me tiene usted, vengo de Londres con mi mujer y dos hijos menores para ofrecer de nuevo mis servicios a la patria.» «¿Qué servicios?» (le dije), «sí está usted proscripto y fuera de la ley por el soberano Congreso de México...». Contestóme: «No sé cuál sea la causa; mas estoy resuelto sufrir en mi país la suerte que se me prepare.» Volviendo luego a Beneski, le reclamé el engaño que me había hecho, quien contestó que era militar y que aquellas órdenes había recibido; Iturbide repuso que él lo había mandado así por tener el gusto de presentarse antes de ser visto. «Pues, amigo, le dije, esa orden ha comprometido a usted.» Contestó: «No puede remediarse.» En seguida le pedí los papeles que trajese, de que me hizo entrega, siendo los mismos que acompañé a V. E. en la citada carta del 17, y un pliego cerrado para el honorable Congreso del Estado, que remití en la misma forma; saludó luego a los oficiales que me acompañaban; dijo que había querido venir a esta provincia porque era justamente la que menos le quería, deseando evitar que un grito de cualquier zángano comprometiese la quietud y su existencia. Pregunté a Iturbide qué gente traía en el barco, qué armas o municiones; a que contestó: que su mujer embarazada, dos niños, porque los otros seis quedaban en Londres, sus dos capellanes y un sobrino que llevó de México, dos extranjeros impresores, dos criadas y dos criados, que era todo su acompañamiento, además del capellán y tres marineros, sin otro armamento que cuatro cañones y sus correspondientes municiones, propias del barco. Se mandó ensillar, sirviéndose el chocolate a Iturbide, quien dijo que era el primero que había tomado después de su salida de México; se habló en seguida de los partes que se me habían dado de la costa, a lo que contestó Iturbide que él no se había disfrazado, que estuvo acostado por el mareo continuo de los viajes, y que los pañuelos se los amarró por los mosquitos.

Con el mismo vestuario de levita y pantalón negro, tomó la silla ligero a pesar de ser muy mala, llevando muy bien el caballo, que no era mejor, y hablando con referencia al campo, dijo que era muy apreciable el suelo natal. Después de algunas horas, me preguntó la suerte que debería correr, y contestándole que la de muerte conforme a la ley, dijo... no lo sentiré... si llevo el consuelo de que la nación se prepare y ponga en defensa: que estaba bien instruido de las tramas que se urdían en los Gabinetes de Europa, para restablecer su dominación colonial. Dijo además que tenía documentos con que acreditar que a él mismo le habían querido hacer instrumento de sus miras, y que, perdida la esperanza, le persiguieron de muerte, obligándole a salir de Liorna con inmensos trabajos y peligros. La noche e incomodidades del camino cortó la conversación hasta llegar a la villa, donde se le puso en prisión con el compañero, bajo la responsabilidad de un oficial con quince hombres. Sirvióse la cena, en la que distinguió los frijoles, y un catre de guardia que después se le puso. Beneski repugnaba ocupar una mesa desnuda, e Iturbide le dijo: *Nunca es malo lo que el tiempo ofrece.*

El 17 despertó algo tarde, sin duda por haber escrito parte de la noche, y a las diez se le mandó disponer, para morir a las tres de la tarde; púsose en pie, oyó con serenidad y dijo... *Ya consiguieron los españoles sus deseos.* Siguió luego: *Diga usted que obedezco; pero que se me haga la gracia de que venga mi capellán, que está a bordo.* Siguió escribiendo, y cuando volvió el ayudante con la negativa, entregó en borrador una exposición para el soberano Congreso, rogándole la pusiese en sus manos y que se le permitiese hablar conmigo. Esto le fue negado; pidió en seguida un sacerdote, y que le diesen tres días para disponerse como cristiano. Algo inclinado me ocurrió también que en este tiempo podía presentarlo al honorable Congreso del Estado y salvar la duda de si se hallaba en el caso de la ley, aunque no la supiese; me decidí por esto, avisándole que se suspendía la ejecución, y di la *orden* de marchar a las tres de la tarde. Poco después me mandó la carta que incluyo, informándome en ella que me había llamado para hablarme con respecto a su familia, y no comprometerme en manera alguna, suplicándome además que se le dijese a qué Congreso lo iba a mandar, y que se le devolviese el borrador de su tercera exposición. Devolviósele ésta, diciéndole que iba al Congreso de Padilla, y sobre la marcha tendría lugar el encargo de su familia.

Llegada la hora, se le presentaron caballos regularmente aderezados, montaron cargando una pequeña maleta y un capote, y marcharon a la vanguardia con la misma custodia. Iturbide saludó con la mano a la tropa, y al pueblo reunido en la plaza. En seguida salí yo con el resto de la tropa, hasta cuarenta hombres y un religioso que dispuse me acompañase. Sobre la marcha me encargó que viera con caridad a su familia, más desgraciada que él: yo le ofrecí cuanto estuviera de mi parte hacer en su beneficio y él repuso que de Dios tendría el premio. Añadió que sentía seis hijos que dejaba en Londres con asistencias sólo para seis meses, de que iban vencidos dos; que si quedaran en su patria, hallarían hospitalidad o algún terreno que trabajar para vivir; que había salido de Londres por amor de su patria y por necesidad, pues no le quedaba más dinero ni alhajas de él y de su mujer que una docena de cubiertos. Continuó hablando de los trabajos de Italia para sustraerse de la Liga, las dificultades que después tuvo para que saliera la familia, y concluyó afirmando que el interés de las Américas no era de España solamente, sino común a la Europa, así por la riqueza, como por afirmar sus tropas, amenazados de la libertad americana.

Le pregunté qué datos tenía de la invasión europea contra la América, y dijo que, a bordo, en sus papeles los había positivos: que eran públicos los alistamientos y las armadas navales en Francia y España; que la protección inglesa era nula, ni podía creerse que el Gobierno de aquella nación quisiese nuestros progresos en la industria y en las artes, con menoscabo de los suyos. Tocamos en el paraje del *Capadero,* donde se hizo alto y pasó la noche; la guardia, con los presos, se situó como a cincuenta varas del campo, e Iturbide llamó al religioso para hablar de conciencia. A las cuatro de la mañana del 18 tomé la marcha; a las seis se hizo alto en la hacienda de *Palo Alto.* La guardia, con Iturbide, desmontó en la caballeriza, concurrió a misa devotamente, se desayunó después y marchamos en seguida. Era necesario asegurarse de la verdadera inteligencia del pronóstico para no despreciar lo que tuviese de cierto, y desde aquí me propuse instruir de otro modo...

En el paraje llamado de los *Muchachitos,* donde cesé, hice formar la partida: díjela que los pasos y palabras de aquel hombre me parecían de buena fe, y que no sería capaz de alterar nuestro sosiego; que la ley de proscripción necesitaba, en mi concepto, aclararse por el poder legislativo; que entre tanto no se le trataría como reo, ni necesitaba más guardia ni más fiscal de sus operaciones que ellos mismos; que iba a ponerlo en libertad al frente de ellos, para que así se presentase en Padilla a disposición del honorable Congreso, cuya resolución debía ser puntualmente ejecutada; hice llamar a los presos y les manifesté la que había tomado; diéronme las gracias tan sorprendidos, que Iturbide, ofreciendo su entera obediencia a las autoridades, poco más dijo, concluyendo con que no podía hablar. Preguntó luego si se le obedecería, porque él no estaba hecho a mandar soldados que no lo hiciesen así; dijeron todos que sí, y yo repuse: «Cómo ustedes no falten a mis órdenes, no tendrían comprometimiento.» Retiróse la tropa, incorporé la guardia y se dispuso la marcha de Iturbide con la tropa a Padilla, y yo marché, acompañado de dos soldados, con dirección a la Marina; montamos y nos despedimos para vernos pronto, mas Iturbide no sabía adónde. Parecerá a V. E. la traza demasiado aventurada, mas el éxito se afianzaba en órdenes reservadas en la confianza de los oficiales y tropa, y en mi vigilancia. El nuevo caudillo forzó la marcha el resto del día y la noche más de quince leguas; pero no varió de lenguaje: trató de intrigas cerca de los supremos poderes, y que convendría variasen la residencia de México; sólo se advirtió que hablaba en el concepto de volver pronto a Soto la Marina, sin considerar la resolución del honorable Congreso del Estado que poco antes había protestado obedecer. Durante la noche habló con su compañero, y como a las ocho de la mañana, cerca de Padilla, ofició al Congreso subscrito *comandante general del Estado.* La honorable asamblea, compuesta en su mayoría de enemigos míos, titubeaba; mas no faltando quienes asegurasen mi conducta con su misma vida, se resolvió la contestación negando a Iturbide la entrada, y haciéndoseme el honor que no podía esperar, estuve a tiempo que la recibía, y por su contenido vine en conocimiento de lo que había dicho. Mandé luego a un oficial que pidiese el pase de palabra; dije a la tropa que aquel hombre no era digno de confianza; lo restituí a la prisión conforme estaba y entré en la villa. Iturbide fue conducido por la guardia a una estancia del cuartel y la tropa se alojó en otra parte.

Los diputados y el pueblo reunidos en mi posada se informaron del caso, quedando tan satisfechos, que volvían risa los temores pasados. Poco después se abrió la sesión, en la que me presenté a ofrecer mis respetos, asegurando que podían obrar con la confianza de que serían puntualísimamente obedecidas sus órdenes. Diéronme pruebas verdaderamente satisfactorias, y también se me dio asiento; durante la sesión se me pidieron informes que satisfice; en otras veces se me mandó hablar, hícelo a favor de la víctima y me retiré. A las tres de la tarde se me entregó la declaración del honorable Congreso conforme a la ley, autorizándome para que dispusiese el castigo cuando me pareciera conveniente: en el acto di la orden para que se verificara a las seis de la misma tarde.

Iturbide había ocurrido al Congreso pidiendo que se le oyese, y la honorable asamblea decretó que pasase a mí la instancia para que, conforme a la facultad que se me había concedido, diese o no la audiencia que se pedía. Yo estaba impuesto de cuanto él quería decir, y no me pareció conveniente aventurar el paso más tiempo. Ocurrió segunda vez a la misma autoridad de palabra por conducto del capellán auxiliar presidente de la misma asamblea, doctor don José Antonio Gutiérrez de Lara, y contestándosele lo mismo se conformó. Llegada la hora formó en la plaza la tropa cerca del suplicio, y al sacarle la guardia dijo: *A ver, muchachos, daré al mundo la última vista.* Volteó a todos lados, preguntó dónde era el suplicio y, satisfecho, él mismo se vendó los ojos: pidió un vaso de agua que probó solamente y al atarle los brazos dijo que no era necesario; pero instado por el ayudante, se prestó luego diciendo: *Bien... bien...* Su marcha de más de ochenta pasos y su voz fueron con la mayor entereza. Llegado al suplicio, se dirigió al pueblo comenzando...: *¡Mexicanos!* Se redujo a exhortar que, siempre unidos y obedientes a sus leyes y autoridades, se librasen de segunda esclavitud resistiendo con vigor el pronto ataque que se preparaba por la santa liga contra la que él venía, como un *simple soldado,* para sostener el gobierno republicano que se había jurado. Concluyó asegurando que no era traidor a su patria, pidiendo no recayese en su familia esta falsa nota; besó el Santo Cristo y murió al rumor de la descarga. Su voz fue siempre entera, y tanto y tan fuerte, que se oyó en el ángulo de la plaza. El sentimiento fue general, manifestándolo los semblantes y durante la noche. Su cuerpo, después de algunas horas, se puso en un ataúd y se condujo a la estancia donde había estado, la misma que sirve de capilla para celebrar y de sala de sesiones al honorable Congreso. Se le vistió con el hábito de San Francisco y se puso sobre una mesa con cuatro velas de cera bajo el cuidado de la misma guardia.

La mañana del 20 se convidó para la misa y entierro, al que asistieron los individuos del Congreso, lo más del pueblo y la tropa. Concluida la misa y vigilia, se acompañó el cuerpo haciéndole cuatro posas en la plaza a la iglesia vieja sin tejado, donde se le dio sepultura como a las ocho del día. Estos honores fueron pagados por mí. Retiróse la guardia que lo había ejecutado, y fue gratificada con tres onzas y media en escudos de a real que el difunto había entregado al ayudante con ese fin.

Cuanto dejo expuesto es lo que puedo informar a V. E. con la integridad que me es propia, y como testigo presencial. Por lo respectivo a la exhortación que no pude oír con exactitud, refiérome a los mejores informes, y al que acompaño original del señor Gutiérrez de Lara que lo auxilió.

De mi parte ruego a V. E. manifieste a S. A. S. la sanidad de mis intenciones respecto a mi conducta; y si por desgracia el juicio que S. A. formare fuere contrario, tendré el gusto de purificarla con documentos irrecusables que obran en mi poder. Dios, etc., Soto-la Marina, 13 de agosto de 1826.-*Felipe de la Garza*.-Excmo. señor ministro de la Guerra.

Epílogo

— Meditando sobre Iturbide —

Cuarenta *años, ocho meses y veintiún días* compusieron el registro vital matemático de Agustín de Iturbide Aramburu. Tiempo suficiente para luchar a favor de España, en contra de España, ser soldado, militar de elite y caudillo de la independencia mexicana, para llegar hasta la más alta magistratura de su país, convirtiéndose en emperador.

Visto así, expuesto así, a vuela pluma, cualquiera puede calificar de brillante el devenir existencial, la historia de Iturbide. Pero si se entra en consideraciones, si se fracciona su vida en etapas y se califica las mismas de acuerdo con el *modus operandi* y forma de actuar de Iturbide, el balance no es tan positivo, siquiera positivo, porque en honor a la verdad, en muchos aspectos, circunstancias y momentos, roza la negatividad y el fracaso. Eso les ocurre a todos los personajes públicos, ya sean políticos o militares, o ambas cosas al unísono, cuando evolucionan en función de una extraña ciclotimia personal en la que se hace difícil deslindar del hombre las ideas, los principios ético-morales, las ambiciones, la megalomanía, la capacidad de sacrificio, el verdadero y auténtico *leit motiv* de su lucha, los porqués...

Hombre de extraordinario valor que ni a la hora de su muerte se le puede cuestionar, bizarro peleador, soldado astuto e inteligente, instruido, pero no con la talla que da la Providencia (o simplemente la naturaleza, si se quiere) a esos seres extraordinarios, privilegiados, que fundan dinastías, salvan pueblos y/o regeneran la raza humana.

Yo haré que no se me caiga la corona, decía el emperador mexicano al ceñirla, y sin embargo poco supo hacer para mantenerla firme sobre sus sienes, lo que manifiesta que la ambición fue superior a una inteligencia que, aun existiendo, no pasaba de vulgar, y en algunas fases de su vida, anodina. Su *Plan de Iguala* podía haber realizado la independencia de México sin problemas, sin violencia, sin anarquía, abriendo la nación a un futuro francamente esperanzador; pero mucho nos tememos, vistos los resultados, que aquél no fue otra cosa que uno más de los muchos instrumentos que el futuro emperador puso al servicio de su egocentrismo, lo cual nos aboca a la incuestionable conclusión que el móvil de su ordenamiento no fue la política ni el patriotismo, sino el de elevar a cotas humanamente casi inaccesibles sus delirios de grandeza, su hambriento y ambicioso ego. De persistir Iturbide con honestidad en el *Plan de Iguala, no habría faltado príncipe de estirpe regia para México*, pero diciendo con palabras lo que sus actos contradecían, fue él mismo quien más obstáculos puso al establecimiento de la monarquía pactada.

Es justo considerar que el auténtico talón de Aquiles de Iturbide fue su confianza ciega en el ejército (prueba evidente de su escasa inteligencia en ciertos aspectos, como antes se ha significado, porque cuando un militar llega al poder, lo primero que piensa es que algunos de sus incondicionales con divisas castrenses serán los primeros en conspirar para derrocarle), sin comprender que los generales, tan escandalosamente improvisados por él, habían de ser quienes de inmediato le abandonaran para hacerse perdonar por los nuevos partidos su injustificada e injustificable ascensión. ¡Ay de aquel que funda toda esperanza de poder en el imperio de la fuerza! Cayo Julio César, apoyado en sus legionarios, en la gloria adquirida en las Galias, en la corrupción de Roma, y valiéndose de la extraña fascinación que ejercía su nombre, llegó al poder supremo, tardando muy poco en caer, cuando los *idus de marzo* se volvieron contra él, herido de muerte, a los pies de la estatua de Pompeyo. Napoleón Bonaparte, después de sus inmortales campañas de Italia y Egipto, ciñó la diadema imperial a su cabeza; pero cuando en Waterloo, Wellington, el odiado inglés, pone punto y final a su brillante trayectoria militar, empieza el calvario..., calvario que concluye en una solitaria roca del océano, atormentado, como Prometeo, por la desesperación de la impotencia.

Cayo Julio César, Napoleón Bonaparte, Agustín de Iturbide... Una provechosa enseñanza que deberían aprender los ambiciosos que acarician designios funestos a su patria, apoyados en un elemento tan frágil y movedizo como el ejército que, cuando obedece al sentimiento inmortal de la patria, es sólo y simplemente instrumento de cruentas guerras civiles, como en Roma, como en México, como en tantos y tantos lugares de los que la historia es testigo y notario fiel... Y que al fin acaba convirtiéndose en castigo de los mismos generales que explotan sus malas pasiones, sus altas y fraudulentas ambiciones, como ya hemos visto, porque si en Roma hubo un Otón contra Galba, un Vitelio contra Otón y un Vespasiano contra Vitelio, no faltó en México contra Iturbide un simple brigadier como Antonio López de Santa Ana, que lo desposeyera y castigara a los doce meses de magnificar su insensata aspiración.

Aprendan, pues, aprendan —ayer, hoy y mañana— del caso Iturbide de Aramburu, los grandes megalómanos de todos los tiempos y, en lugar de ofrecer fácil oído, insensata escucha a los beneplácitos, adulaciones y lisonjas que los deslumbran y obnubilan, repitan para sí, para su intimidad, aquellas palabras de la Iglesia: *Memento homo!*

BIBLIOGRAFÍA

ANDRÉ, MARIUS: *El fin del imperio español en América*. S.L. Cultura Española, 1939.

LESAFFRE, JEAN: *Marius André 1868-1927: sa vie, son oeuvre*. París: S.L., 1962 (Collection des Amis de la Langue d'Oc).

NAVARRO Y RODRIGO, CARLOS: *Vida de Agustín de Iturbide; Memorias de Agustín de Iturbide*. Madrid: Editorial América, 1919.

ÍNDICE

Títulos publicados en esta colección

Emiliano Zapata
Juan Gallardo Muñoz

Moctezuma
Juan Gallardo Muñoz

Pancho Villa
Francisco Caudet

Benito Juárez
Francisco Caudet

Mario Moreno "Cantinflas"
Cristina Gómez
Inmaculada Sicilia

J. María Morelos
Alfonso Hurtado

María Félix
Helena R. Olmo

Agustín Lara
Luis Carlos Buraya

Porfirio Díaz
Raul Pérez López

José Clemente Orozco
Raul Pérez López

Agustín de Iturbide
Francisco Caudet

Miguel Hidalgo
Maite Hernández

Diego Rivera
Juan Gallardo Muñoz

Dolores del Río
Cinta Franco Dunn

Francisco Madero
Juan Gallardo Muñoz

David A. Siqueiros
Maite Hernández

Lázaro Cárdenas
Juan Gallardo Muñoz

Emilio "Indio" Fernández
Javier Cuesta

San Juan Diego
Juan Gallardo Muñoz

Frida Kahlo
Araceli Martínez

Octavio Paz
Juan Gallardo Muñoz

Anthony Quinn
Miguel Juan Payán
Silvia García Pérez

SALMA HAYEK
Vicente Fernández

SOR JUANA INÉS DE LA CRUZ
Juan M. Galaviz

JOSÉ VASCONCELOS
Juan Gallardo Muñoz

VICENTE GUERRERO
Jorge Armendariz

GUADALUPE VICTORIA
Francisco Caudet

JORGE NEGRETE
Luis Carlos Buraya

NEZAHUALCOYOTL
Tania Mena

IGNACIO ZARAGOZA
Alfonso Hurtado